MANAGEMENTVISIES

Van Peter Drucker verscheen eerder:

Management. Uitdagingen in de 21ste eeuw

PETER DRUCKER

Managementvisies

Het bedrijfsleven in 2020
en wat u daarvan nú moet weten

2003
Uitgeverij Business Contact
Amsterdam/Antwerpen

Published by arrangement with Lennart Sane Agency AB

Oorspronkelijke titel: *Managing in the next society*
Oorspronkelijke uitgever: Butterworth-Heinemann, Oxford
Vertaling: Jan Nobel
Omslagontwerp: Studio Jan de Boer BNO

ISBN 90 254 1900 3
D/2003/0108/817
NUR 801

www.boekenwereld.com

Inhoud

Voorwoord

Ooit geloofde ik in de Nieuwe Economie. Dat was in 1929, en ik was in de leer op het Europese hoofdkantoor van een groot beursgenoteerd bedrijf. Mijn chef, een uit Europa afkomstige bedrijfseconoom, was ervan overtuigd dat er aan de *boom* op Wallstreet nooit meer een einde zou komen. Hij schreef een briljant boek onder de titel *Investment* om te bewijzen dat het kopen van gewone Amerikaanse aandelen de enige absoluut veilige manier was om snel rijk te worden. Daar ik de jongste werknemer van het bedrijf was – ik was nog geen twintig – werd ik benoemd tot zijn onderzoeksassistent, corrector en registermaker. Het boek verscheen twee dagen voordat de beurs instortte. Het verdween spoorloos. Net als mijn baan enkele dagen later.

Vandaar dat ik niet vreemd opkeek toen iedereen het zeventig jaar later over de Nieuwe Economie had, en over almaar stijgende aandelenkoersen. Dat had ik al eens meegemaakt. Natuurlijk werd er in de jaren negentig niet met dezelfde woorden over gesproken als in de jaren twintig. We hadden het toen over duurzame welvaart in plaats van de Nieuwe Economie. Maar alleen de woorden verschilden. De rest – de argumenten, de logica, de voorspellingen, de retoriek – was vrijwel hetzelfde.

Toen iedereen over de Nieuwe Economie begon te praten werd ik me ervan bewust dat de samenleving echt veranderde en dat de veranderingen sneller gingen naarmate de jaren negentig vorderden. Dat de samenleving fundamenteel veranderde, gold misschien nog wel meer voor de ontwikkelingslanden dan voor de ontwikkelde wereld. De Informatierevolutie was maar een van de factoren, en misschien niet eens de belangrijkste. Demografische ontwikkelingen waren minstens zo belangrijk. De voortdurend dalende geboortecijfers in zowel de ontwikkelde als de opkomende landen leidden ertoe dat het aantal jonge mensen, zowel absoluut als proportioneel gezien, snel daalde. Ook het tempo waarin nieuwe gezinnen werden gevormd, nam snel af. De Informatierevolutie betekende een hoogtepunt in een ontwikkeling die al meer dan een eeuw gaande was. De afname van het aantal jongeren vormde echter een radicale, ongekende trendbreuk. Er bestaat nog zo'n breuk: de gestage afname van de productie van goederen als bron van welvaart en werkgelegenheid. De goederenproductie is in de ontwikkelde landen zelfs al naar de marge verdrongen. Niettemin is die sector tegelijkertijd politiek steeds machtiger geworden, al lijkt dat een paradox. Het is bovendien een feit dat de beroepsbevolking is getransformeerd en versplinterd. Ook dat is een totaal nieuw verschijnsel.

Deze veranderingen vormen, samen met de sociale gevolgen van de Informatierevolutie, de belangrijkste thema's van dit boek. Het gaat hier om concrete, onomkeerbare veranderingen. De nieuwe samenleving bestaat al.

Het boek bevat enkele hoofdstukken waarin ik traditionele managementonderwerpen bespreek. Dat doe ik met voorbijgaan aan de totale oplossingen, de veronderstelde feilloze instrumenten en technieken die zo prominent aanwezig waren in veel managementbestsellers uit de jaren tachtig en negentig. Toch is dit in de allereerste plaats een boek voor leidinggevenden. Het gaat vooral over managen. De stelling achter de meeste hoofdstukken is dat de belangrijkste sociale veranderingen die bepalend zijn voor de nieuwe samenleving de komende tien of vijftien jaar de taken van de leidinggevenden sterk zullen beïnvloeden. Wellicht zelfs langer. Uit deze veranderingen zullen de belangrijkste bedreigingen en kansen voorkomen voor iedere organisatie, groot of klein, zakelijk of non-profit, in Amerika, Europa of waar dan ook. Ik ben ervan overtuigd dat deze veranderingen voor het succesvol opereren van een organisatie en het management wel eens belangrijker kunnen zijn dan economische gebeurtenissen.

Gedurende een halve eeuw, van 1950 tot in de jaren negentig, hebben westerse ondernemingen en managers de samenleving vooral als een gegeven beschouwd. Dat kon toen ook. Er deden zich snelle en diepgaande economische en technologische veranderingen voor, maar de samenleving was toch vooral een achtergrondgegeven. De economie en de technologie zullen blijven veranderen. In de slotpagina's van dit boek – de paragraaf *De weg die voor ons ligt* van deel IV – wordt gesteld dat ons nog belangrijke technologische vernieuwingen te wachten staan en dat de meeste daarvan zeer waarschijnlijk weinig of niets van doen zullen hebben met informatie. Maar wil een organisatie van deze veranderingen kunnen profiteren dan zal het management de aard van de nieuwe samenleving moeten begrijpen en daarop het beleid en de strategie moeten afstemmen. Dit geldt net zo goed voor profit- als voor nonprofitorganisaties, net zo goed voor grote als kleine organisaties.

Het doel van dit boek is het succesvol leidinggeven in de nieuwe samenleving te vergemakkelijken.

Alle hoofdstukken waren ten tijde van de terroristische aanslagen op Amerika in september 2001 al geschreven. Op twee na waren ze zelfs vóór september 2001 al gepubliceerd, en ik heb afgezien van een poging de hoofdstukken te actualiseren. Afgezien van een paar kleine ingrepen – typografische veranderingen en spellingcorrecties (en soms het weer gebruiken van de originele titel) – wordt ieder hoofdstuk hier gepubliceerd zoals het oorspronkelijk is verschenen. Dit betekent bijvoorbeeld dat 'drie jaar geleden' in een tekst uit 1999 verwijst naar 1996 en dat 'over drie jaar' in die tekst verwijst naar 2002. Aan het eind van ieder hoofdstuk wordt het jaar van publicatie vermeld. Dit stelt de lezer in staat om zelf te beoordelen of de anticipaties en voorspellingen van de auteur door latere gebeurtenissen zijn bewaarheid of ontkracht.

Na de terroristische aanslagen van september 2001 zou dit boek voor managers nog urgenter en actueler moeten zijn. Het terrorisme en het antwoord van de Amerikanen daarop hebben de wereldpolitiek grondig gewijzigd. Dat de wereld jaren van wanorde te wachten staat, vooral in het Midden-Oosten, is duidelijk. Maar in tijden van onrust en snelle veranderingen kan niemand volstaan met verstandig leidinggeven. Het management van een organisatie, of dat nu een bedrijf, een universiteit of een ziekenhuis is, dient gebaseerd te zijn op fundamentele en voorspelbare trends die niet afhankelijk zijn van de koppen in de kranten. Het management dient van deze ontwikkelingen gebruik te maken. Deze fundamentele ontwikkelingen betreffen, naast de al genoemde veranderingen, ook veranderingen in de vorm, de structuur en de functie van de organisatie en het topmanagement. Zelfs in tijden van grote onzekerheid betekent het afstemmen van het beleid en de strategie op deze onveranderlijke en fundamentele ontwikkelingen geen garantie voor succes. Maar als je het niet doet, staat een mislukking vast.

Peter F. Drucker
Claremont, Californië
Pasen 2002

DEEL I

De informatiemaatschappij

1

Na de Informatierevolutie

De werkelijk revolutionaire invloed van de Informatierevolutie beginnen we nu pas te voelen. Toch is deze invloed niet te danken aan 'informatie'. Evenmin aan kunstmatige intelligentie. Het gaat niet om de invloed van computers en dataprocessing op besluitvorming, beleidsbeslissingen of strategie. Het is iets wat praktisch niemand tien of vijftien jaar geleden zag aankomen. Ik bedoel e-commerce, de explosieve opkomst van internet als een van de belangrijkste, zo niet hét belangrijkste, wereldomvattende distributiekanaal voor goederen, diensten en, verrassend genoeg, ook banen voor managers en specialisten. Hierdoor ontstaat een fundamentele verandering van economieën, markten en industriële structuren; van goederen- en dienstenstromen; van de segmentatie, normen en waarden en gedragingen van consumenten; van banen en arbeidsmarkten. De invloed op maatschappij en politiek, maar vooral op de manier waarop we kijken naar de wereld en onze plaats daarin, zou zelfs nog wel eens groter kunnen zijn.

Tegelijk zullen ongetwijfeld nieuwe en nu nog onbekende industrieën razendsnel opkomen. Eén is er al: biotechnologie. Een andere is de viskweek. Binnen vijftig jaar kan het kweken van vissen ertoe leiden dat de vissersschepen op zee plaats maken voor cruiseschepen. Een gelijksoortige vernieuwing enkele tienduizenden jaren geleden maakte van onze jagende en voedsel verzamelende voorouders landbouwers en herders.

Waarschijnlijk zullen nog meer nieuwe technologieën ten tonele verschijnen en een belangrijke positie veroveren. Welke dat zullen zijn kunnen we nu nog niet bevroeden, maar dat ze zullen opkomen staat vrijwel vast. Het zal bovendien snel gaan. Zeer waarschijnlijk zal maar een enkele daarvan voortkomen uit de computer- en informatietechnologie. Net als de biotechnologie en de visindustrie zullen ze hun eigen, unieke, onverwachte technologie kennen.

Natuurlijk zijn dit maar voorspellingen, maar ze worden gedaan op basis van de aanname dat de Informatierevolutie zich zal ontwikkelen zoals verschillende eerdere op technologie gebaseerde revoluties zich de afgelopen vijfhonderd jaar hebben voltrokken. Denk bijvoorbeeld aan de revolutie die Gutenberg rond 1455 in het drukken van boeken teweegbracht. Bovendien berusten deze voorspellingen op de aanname dat de Informatierevolutie zal lijken op de Industriële Revolutie van eind achttiende en begin negentiende eeuw. Voor de eerste vijftig jaar van de Informatierevolutie geldt dat zeker.

Spoorwegen

De Informatierevolutie bevindt zich nu op het punt waar de Industriële Revolutie zich aan het begin van de jaren twintig van de negentiende eeuw bevond. Dat was in 1785, ongeveer veertig jaar nadat de verbeterde versie van de stoommachine van James Watt voor het eerst industrieel werd toegepast. De machine werd gebruikt voor het spinnen van katoen. De stoommachine was voor de eerste Industriële Revolutie wat de computer voor de Informatierevolutie is geweest: de aanjager, maar vooral het symbool. Menigeen is er tegenwoordig van overtuigd dat de Informatierevolutie qua ontwikkeling en invloed zijn gelijke in de economische geschiedenis niet heeft. De Industriële Revolutie heeft zich echter in dezelfde tijd minstens zo snel ontwikkeld en had waarschijnlijk minstens zo veel invloed. In hoog tempo werd het meeste handwerk gemechaniseerd en werd begonnen met de vervaardiging van het belangrijkste industriële product van de achttiende en de vroeg-negentiende eeuw: textiel. Volgens de Wet van Moore daalt de prijs van het basiselement van de Informatierevolutie, de microchip, iedere achttien maanden met 50 procent. Hetzelfde gold voor de producten waarvan de vervaardiging werd gemechaniseerd door de eerste Industriële Revolutie. De prijs van katoenen stoffen daalde in de eerste helft van de negentiende eeuw met 90 procent. In Groot-Brittannië steeg de productie van katoenen stoffen in diezelfde periode tot het honderdvijftigvoudige. Hoewel textiel die eerste periode het meest zichtbare product was, mechaniseerde de Industriële Revolutie daarnaast de productie van belangrijke goederen als papier, glas, leer en bakstenen. De invloed bleef bovendien absoluut niet beperkt tot consumptiegoederen. De productie van ijzer en ijzerproducten – zoals draad – werd net zo snel gemechaniseerd als de productie van textiel. De effecten op de kosten, prijzen en omvang van de productie waren vergelijkbaar. Tijdens de laatste Napoleontische Oorlogen werden door heel Europa geweren gemaakt met behulp van de stoommachine. Kanonnen werden twintig tot dertig keer sneller gemaakt dan vroeger en de kosten ervan daalden met tweederde. Eli Whitney had toen in Amerika de fabricage van musketten al gemechaniseerd en zo de eerste industrie geschapen die massaproductie kende.

Deze veertig tot vijftig jaar zagen zowel de geboorte van de fabriek als die van de arbeidersklasse. De omvang van beide was in het midden van de jaren twintig van de negentiende eeuw zelfs in Engeland nog te verwaarlozen. In psychologisch opzicht domineerden ze echter al en in politiek opzicht zouden ze dat snel gaan doen. Voordat er fabrieken waren in de Verenigde Staten voorzag Alexander Hamilton in zijn *Report on Manufacturing* uit 1791 al een geïndustrialiseerde natie. In 1803 merkte een Franse econoom, Jean-Baptiste Say, op dat de Industriële Revolutie de economie had veranderd door de ondernemer te creëren.

De sociale gevolgen bleven niet beperkt tot de fabrieken en de arbeidersklasse. De historicus Paul Johnson stelt in *A History of the American People* uit 1997 dat de slavernij een nieuwe impuls heeft gekregen door de explosieve groei van de textielindustrie. Terwijl de oprichters van de Amerikaanse Republiek dachten dat de slavernij vrijwel dood was, kwam zij weer tot leven. De door stoom aangedreven ontkorrelmachine zorgde voor een enorme vraag naar goedkope arbeid en de levering van slaven werd gedurende tientallen jaren de meest winstgevende activiteit in Amerika.

De Industriële Revolutie heeft ook het gezin sterk beïnvloed. Het kerngezin was lange tijd de belangrijkste productie-eenheid. Op de boerderij en in de werkplaats van de handwerksman werkten man, vrouw en kinderen samen. Voor het eerst in de geschiedenis bracht de fabriek zowel de arbeider als de arbeid over van de woning naar de werkplaats. De overige gezinsleden – de echtgenotes van volwassen fabrieksarbeiders en, vooral in het begin, ook de ouders van de kinderen die in de fabrieken moesten werken – werden thuis achtergelaten.

De crisis van het gezin manifesteerde zich concreet pas na de Tweede Wereldoorlog, maar het begon met de Industriële Revolutie. Dit was ook de grootste zorg van degenen die verzet aantekenden tegen de Industriële Revolutie en de fabriek. Overigens is de beste beschrijving van de scheiding van werk en gezin, en van de effecten op beide, waarschijnlijk te vinden in *Hard Times*, de roman van Charles Dickens uit 1854.

Afgezien van al deze effecten zorgde de Industriële Revolutie aanvankelijk slechts voor de mechanisatie van de productie van goederen die al lang bestonden. Een enorme productiestijging en kostenreductie was het gevolg. Consumenten en consumptiegoederen dankten er hun bestaan aan. Maar met de producten zelf was men al lang vertrouwd. De fabrieksproducten weken alleen af door hun uniformiteit. Ze vertoonden minder gebreken dan de producten die vroeger uit handen waren gekomen van zelfs de beste handwerkslieden.

Daarop bestond maar één uitzondering. Dat was de stoomboot, waarvan de praktische uitwerking in 1807 te danken was aan Robert Fulton. De eerste dertig of veertig jaar was de invloed daarvan minimaal. Tot eind negentiende eeuw werd de meeste vracht door zeilschepen vervoerd.

De spoorweg, een toentertijd totaal nieuw transportmiddel, dateert uit 1829. Hij veranderde de economie, de maatschappij en de politiek voorgoed.

Achteraf is moeilijk te begrijpen waarom de spoorwegen zo laat ten tonele verschenen. In kolenmijnen werden al heel lang rails gebruikt. Wat lag meer voor de hand dan een stoommachine voor een wagen te zetten in plaats van die door mensen te laten duwen of door paarden te laten trekken? Maar de spoorwegen ontwikkelden zich niet uit de rails die in mijnen werden gebruikt. Het was een onafhankelijke ontwikkeling, aanvankelijk niet eens bedoeld voor het transport van vracht. Lange tijd zag men er alleen een middel in om mensen te vervoeren. Spoorwegen werden in Amerika pas dertig jaar later gebruikt voor vrachtvervoer. Nog in de jaren zeventig en tachtig van de negentiende eeuw dachten de Engelse ingenieurs die waren ingehuurd om spoorwegen te bouwen in het recentelijk gemoderniseerde Japan uitsluitend aan het vervoer van passagiers. Tot op de dag van vandaag zijn Japanse spoorwegen overigens niet geschikt voor vrachtvervoer.

Binnen vijf jaar raakte de westerse wereld echter in de greep van de grootste *boom* uit de geschiedenis: de spoorweg-*boom*. Gelardeerd door de spectaculairste faillissementen uit de economische geschiedenis hield de *boom* in Europa dertig jaar aan, tot na 1850, toen de meeste van de momenteel belangrijkste lijnen waren gebouwd. In de VS hielden deze ontwikkelingen nog dertig jaar langer aan, en in de buitengebieden – Argentinië, Brazilië, Aziatisch Rusland en China – zelfs tot aan het begin van de Eerste Wereldoorlog.

Spoorwegen vormden het waarlijk revolutionaire element van de Industriële Revolutie. Zij introduceerden niet alleen een nieuwe economische dimensie maar brachten ook een snelle wijziging aan in wat ik de mentale geografie zou willen noemen. Voor de eerste keer in de geschiedenis waren mensen echt mobiel. Voor de eerste keer werd de horizon van gewone mensen verbreed. Tijdgenoten beseften onmiddellijk dat er zich een fundamentele verandering in de mentaliteit had voorgedaan. Het beste portret van een samenleving die getransformeerd wordt door de Industriële Revolutie vindt men in *Middlemarch*, de roman van George Eliot uit 1871. Zoals de grote Franse historicus Fernand Braudel heeft gesteld in zijn laatste boek, *The Identity of France* uit 1986, zijn het de spoorwegen geweest die van Frankrijk een natie en een cultuur hebben gemaakt. Daarvóór was het een samenraapsel van regio's die alleen politiek met elkaar verbonden waren. En de rol van de spoorwegen bij de ontwikkeling van het Amerikaanse Westen is een gemeenplaats geworden.

Routine

Net als de Industriële Revolutie tweehonderd jaar geleden heeft de Informatierevolutie vanaf de eerste computers halverwege de jaren veertig van de vorige eeuw alleen processen getransformeerd die al gaande waren. In feite heeft de werkelijke invloed van de Informatierevolutie niet eens betrekking op informatie. De effecten die men veertig jaar geleden voorzag zijn vrijwel uitgebleven. Zo is er nagenoeg niets veranderd in de manier waarop de belangrijkste beslissingen in het zakenleven of in de politiek worden genomen. Wat de Informatierevolutie wel heeft bewerkstelligd is dat traditionele processen op tal van terreinen routine zijn geworden.

Dankzij software kost het geen drie uur meer om een piano te stemmen maar nog slechts twintig minuten. Er bestaat software voor loonbetalingen, voorraadbeheer, leveringsschema's en voor alle activiteiten binnen een bedrijf die regelmatig herhaald dienen te worden. Het ontwerpen van voorzieningen als verwarmingssystemen, waterleidingen en afvoeren voor bijvoorbeeld een gevangenis of een ziekenhuis verschafte vroeger vijfentwintig vaklui vijftig dagen werk. Nu stelt een programma een tekenaar in staat de klus in een paar dagen te klaren, voor een fractie van de kosten. Er bestaat software waarmee mensen belasting kunnen terugvragen en software die artsen in opleiding zegt hoe ze een galblaas moeten verwijderen. De mensen die nu online in aandelen speculeren doen hetzelfde wat hun voorlopers in de jaren twintig deden die elke dag uren doorbrachten op het kantoor van een handelaar. De processen zelf zijn niet veranderd. Ze zijn stap voor stap gestandaardiseerd, met als resultaat een enorme besparing van tijd en niet zelden kosten.

De psychologische invloed van de Informatierevolutie is enorm geweest, net als die van de Industriële Revolutie. Het onderwijs is misschien wel het sterkst beïnvloed. Vanaf vierjarige leeftijd, en vaak nog eerder, ontwikkelen kinderen tegenwoordig computervaardigheden. Ze halen de oudere leerlingen snel in. Computers zijn voor hen speelgoed en leermiddelen. Over vijftig jaar komen we misschien tot de conclusie dat er in het Amerikaanse onderwijs aan het eind van de twintigste eeuw helemaal geen crisis bestond. Wel is er een kloof ontstaan tussen de manier waarop twintigste-eeuwse scholen lesgaven en de manier waarop kinderen toen leerden. Iets soortgelijks deed zich honderd jaar na de uitvinding van de drukpers en de losse letter voor aan de universiteiten.

Wat ons werk betreft heeft de Informatierevolutie alleen gestandaardiseerd wat al lang gedaan werd. De enige uitzondering hierop vormt de cd-rom. Die werd zo'n twintig jaar geleden bedacht om op een totaal nieuwe manier opera's, universitaire cursussen of het oeuvre van een schrijver te kunnen presenteren. Net als de stoomboot is ook de cd-rom niet onmiddellijk aangeslagen.

De betekenis van e-commerce

E-commerce is voor de Informatierevolutie wat de spoorwegen waren voor de Industriële Revolutie: een totaal nieuwe, totaal onverwachte ontwikkeling. En net als de spoorwegen 170 jaar geleden ontstaat door e-commerce een nieuwe, heel karakteristieke bloeiperiode die de economie, de maatschappij en de politiek snel verandert.

Neem bijvoorbeeld een middelgroot bedrijf in het industriële middenwesten van de VS. Het is opgericht rond 1920 en wordt nu geleid door de kleinkinderen van de oprichter. Het had altijd zo'n 60 procent van de markt voor goedkoop serviesgoed in handen. Men leverde aan fastfoodrestaurants en aan kantines van scholen, kantoren en ziekenhuizen binnen een straal van honderdvijftig kilometer rond het bedrijf. Serviesgoed is zwaar en breekbaar, vandaar dat goedkoop serviesgoed doorgaans in een klein gebied verkocht wordt. Dit bedrijf verloor bijna van de ene op de andere dag de helft van zijn klandizie. Een van zijn klanten, een ziekenhuiskantine, ontdekte op internet een Europese fabrikant die serviesgoed van een hogere kwaliteit aanbood tegen een lagere prijs. Vervoer per vliegtuig bleek goedkoop te zijn. Binnen een paar maanden stapten de belangrijkste klanten in het gebied over op de Europese leverancier. Dat de artikelen uit Europa komen lijkt niemand te deren.

In de nieuwe mentale geografie die te danken was aan de spoorwegen, was de mens in staat afstanden te overwinnen. In de mentale geografie van e-commerce is afstand geëlimineerd. Er bestaat nog maar één economie en nog maar één markt.

Een van de gevolgen is dat ieder bedrijf wereldwijd moet concurreren. Dat geldt ook voor een bedrijf dat alleen actief is op een regionale markt. De concurrentie heeft zijn lokale karakter verloren. De grenzen zijn verdwenen. Ieder bedrijf moet tegenwoordig op internationale wijze geleid worden. De traditionele multinational zou echter wel eens in het vergeetboekje kunnen raken. Hij produceert en distribueert in een aantal internationale regio's, maar daarbinnen is het een lokaal bedrijf. Dankzij e-commerce bestaan lokale bedrijven en afzonderlijke regio's echter niet meer. Beslissingen over waar te produceren en waar en hoe te verkopen blijven zakelijk gezien belangrijk, maar over twintig jaar zijn ze misschien niet meer bepalend voor wat een bedrijf hoe en waar doet.

Toch is momenteel nog niet duidelijk welke soorten goederen en diensten via e-commerce gekocht en verkocht zullen worden en welke daarvoor ongeschikt zullen blijken. Dat is altijd zo geweest bij de opkomst van een nieuw distributiekanaal. Waarom hebben bijvoorbeeld de spoorwegen zowel de mentale als de economische geografie van het Westen veranderd, terwijl de stoomboot, met een vrijwel identieke invloed op de wereldhandel en het reizigersverkeer, dat niet heeft gedaan? Waarom ontstond er geen stoomboot-*boom*?

Even onduidelijk is de invloed van meer recente veranderingen in distributiekanalen. Denk aan de overgang van de plaatselijke kruidenier naar de supermarkt, van de individuele supermarkt naar de supermarktketen en van de supermarktketen naar Wal-

Mart en andere megastores. Wel is nu al duidelijk dat de overgang naar e-commerce net zo eclectisch en onverwacht zal zijn.

Vijfentwintig jaar geleden was men er bijvoorbeeld van overtuigd dat binnen enkele decennia het gedrukte woord elektronisch verspreid zou worden naar de computerschermen van individuele abonnees. Die zouden de tekst dan op het scherm lezen of downloaden en printen. Op deze veronderstelling is de cd-rom gebaseerd. Tal van kranten en tijdschriften, en zeker niet alleen Amerikaanse, gingen online. Tot nu toe is dat geen goudmijn gebleken. Maar iedereen die twintig jaar geleden had voorspeld dat boeken verkocht zouden worden via internet zou voor gek zijn verklaard. Toch is dat wat Amazon.com en Barnesandnoble.com doen. Wereldwijd. De eerste bestelling van mijn laatste boek, *Management: Uitdagingen in de 21ste eeuw*, uit 1999, ontving Amazon.com uit Argentinië.

Nog één voorbeeld. Tien jaar geleden maakte een van 's werelds grootste autofabrikanten een grondige studie van de invloed van internet op de autoverkopen. Het was toen in opkomst. De conclusie was dat het een belangrijk distributiekanaal zou worden voor gebruikte auto's, maar dat klanten nieuwe auto's nog altijd zouden willen zien en aanraken, en er een proefrit in zouden willen maken. Toch worden de meeste occasions nog altijd verkocht op het terrein van een handelaar. Momenteel kan de helft van alle nieuwe wagens, met uitzondering van de luxe modellen, al online gekocht worden. Dealers leveren alleen wagens af die de klanten al uitgekozen hebben voordat ze de showroom binnenkomen. Wat betekent dit voor de toekomst van de plaatselijke verkoper, wiens kleine onderneming de meest winstgevende van de twintigste eeuw was?

Ander voorbeeld. In 1998 en 1999, tijdens de *boom* op de Amerikaanse aandelenmarkt, werd er steeds meer online gehandeld. Investeerders lijken zich echter juist af te keren van de elektronische handel. Het belangrijkste Amerikaanse investeringsinstrument is het beleggingsfonds. Terwijl een paar jaar geleden bijna de helft van alle beleggingsfondsen elektronisch werd gekocht, wordt geschat dat dit zal dalen tot 35 procent volgend jaar en tot 20 procent in 2005. Dat is precies het tegenovergestelde van wat iedereen tien of vijftien jaar geleden verwachtte.

E-commerce groeit in de VS het snelst op een gebied waar tot nu toe helemaal geen handel bestond: banen voor managers en specialisten. Bijna de helft van de grootste bedrijven ter wereld werft nu via websites, en ongeveer 2,5 miljoen managers en specialisten, waarvan tweederde noch technicus noch computerspecialist is, hebben hun cv op internet gezet en vragen op basis daarvan om vacatures. Het resultaat is een compleet nieuwe banenmarkt.

Hieruit blijkt nog een ander belangrijk gevolg van e-commerce: nieuwe distributiekanalen zorgen voor een verschuiving in de klantenkring. Niet alleen de manier waarop klanten kopen verandert erdoor, maar ook wat ze kopen. Consumentengedrag, spaargewoonten, industriële structuren – kortom, de hele economie verandert erdoor. Dit vindt momenteel plaats, en zeker niet alleen in de VS; in toenemende mate gebeurt hetzelfde in de rest van de ontwikkelde wereld en in een flink aantal zich ontwikkelende economieën, zoals het Chinese vasteland.

Luther, Machiavelli en de zalm

De spoorwegen maakten van de Industriële Revolutie een voldongen feit, en de *boom* die erdoor ontstond duurde minstens honderd jaar. De stoomtechnologie had ook andere gevolgen. Zij bracht tegen het eind van de negentiende eeuw de stoomturbine voort en later, in de jaren twintig en dertig, de laatste, schitterende generatie Amerikaanse stoomlocomotieven. Maar de stoomtechnologie stond toen niet langer centraal. De dynamiek van de technologie verschoof naar volledig nieuwe bedrijfstakken, die vrijwel onmiddellijk opkwamen nadat de spoorwegen waren ontwikkeld. Niet één daarvan had met stoom of stoommachines te maken. De elektrische telegraaf en de fotografie ontstonden na 1830; ze werden al snel gevolgd door nieuwe technieken op terreinen als optica en landbouw. Nieuwe bemestingsmethoden die tegen 1840 ontwikkeld werden, transformeerden de landbouw in korte tijd. De nationale gezondheidszorg werd een belangrijke groeisector. Dankzij quarantaines, vaccinaties, schoon drinkwater en riolen werd voor de eerste keer in de geschiedenis de stad een gezondere leefomgeving dan het platteland. In die tijd kwam ook de anesthesie van de grond.

Deze nieuwe technologieën brachten belangrijke nieuwe sociale instellingen met zich mee, zoals het moderne postbedrijf, het dagblad, investeringsbanken en commerciële banken. Met de stoommachine of met de technologie van de Industriële Revolutie had dit allemaal niet veel te maken. Dit waren wel de industrieën en instellingen die rond 1850 het industriële en economische landschap van de ontwikkelde landen waren gaan domineren.

Dit lijkt veel op wat er gebeurde na de uitvinding van de boekdrukkunst – de eerste van de technologische revoluties die vorm gaven aan de moderne wereld. In 1455 was Gutenberg erin geslaagd de drukpers en de losse letter, waaraan hij jaren had gewerkt, te verbeteren. In de daaropvolgende vijftig jaar ging de nieuwe druktechniek als een wals over Europa en zorgde zij zowel economisch als psychologisch voor een totale gedaanteverwisseling. Maar de boeken die die eerste tijd werden gedrukt, de zogenaamde incunabelen, bevatten vooral teksten die monniken eeuwenlang met de hand hadden gekopieerd in hun scriptoria: religieuze traktaten en wat er verder over was van de geschriften der antieken. Ongeveer zevenduizend titels werden er gepubliceerd, in 35.000 edities. Minstens 6700 daarvan waren traditionele titels. Met andere woorden: die eerste halve eeuw zorgde het drukprocédé ervoor dat traditionele producten op het gebied van informatie en communicatie steeds goedkoper werden. Zestig jaar na Gutenberg verscheen Luthers Duitse bijbelvertaling. Vele duizenden exemplaren werden ervan verkocht, tegen een ongelooflijk lage prijs. Geholpen door de nieuwe druktechniek luidde de Bijbel van Luther een nieuwe samenleving in. Hij luidde de komst in van het protestantisme dat half Europa zou veroveren, en dat in de andere helft het katholicisme zou noodzaken zich te hervormen. Luther gebruikte het nieuwe medium doelbewust om de godsdienst weer in het centrum van het individuele en maatschappelijke leven te plaatsen. Daarna zouden nog anderhalve eeuw volgen van hervormingen, revoltes en oorlogen uit naam van de godsdienst.

Terwijl Luther doelbewust gebruik maakte van de boekdrukkunst om het christendom te hervormen, schreef en publiceerde Machiavelli *De Vorst*. Dit was het eerste boek in het Westen sinds meer dan duizend jaar zonder een enkel bijbelcitaat of een verwijzing naar de klassieken. In een mum van tijd werd *De Vorst* de andere bestseller van de zestiende eeuw, bovendien het beruchtste en meest invloedrijke boek. In snel tempo volgde er een stroom wereldlijke literatuur: romans, werken over natuurwetenschappen, geschiedenis, politiek en al snel ook economie. Het duurde niet lang voordat in Engeland het theater ontstond, de eerste zuiver seculiere kunstvorm. Er ontstonden ook totaal nieuwe instituties: de orde der Jezuïeten, de Spaanse infanterie, de eerste moderne vloot en tot slot de soevereine nationale staat. Met andere woorden: de revolutie van de boekdrukkunst volgde hetzelfde spoor als de Industriële Revolutie driehonderd jaar later en de Informatierevolutie in onze tijd.

Hoe de nieuwe industrieën en instellingen er zullen uitzien, weet nog niemand. Rond 1520 voorzag ook niemand de wereldlijke literatuur, laat staan het theater. En tegen 1820 voorzag niemand de elektrische telegraaf, de nationale gezondheidszorg of de fotografie.

Het enige wat zeer waarschijnlijk, zo niet zeker is, is dat we de komende twintig jaar getuige zullen zijn van de opkomst van een aantal nieuwe industrieën. Tegelijk staat vrijwel vast dat slechts enkele hun wortels zullen hebben in informatietechnologie, de computer, dataverwerking of internet. Alle historische voorbeelden wijzen in die richting. Dat geldt ook voor de nieuwe bedrijfstakken die nu in hoog tempo opkomen. De biotechnologie hebben we al, net als de industriële viskweek.

Vijfentwintig jaar geleden was zalm nog een delicatesse. Voor een doorsneemaaltijd kon men kiezen tussen kip en vlees. Vandaag de dag is zalm een consumptieartikel geworden en maakt het deel uit van de doorsneemaaltijd. De meeste zalm wordt niet meer in zee of een rivier gevangen maar gekweekt. Met forel gaat het dezelfde kant op. Waarschijnlijk geldt dat ook voor een aantal andere vissoorten. Ook met de massaproductie van platvis, waarvan de positie vergelijkbaar is met die van varkensvlees, is een begin gemaakt. Zonder twijfel zal dit leiden tot het kweken van nieuwe, andere vissoorten; het domesticeren van schapen, koeien en kippen heeft tenslotte ook geleid tot het ontstaan van nieuwe soorten.

Waarschijnlijk is de huidige positie van zeker tien bedrijfstakken vergelijkbaar met de positie van de biotechnologie vijfentwintig jaar geleden: ze staan op het punt door te breken.

Er komt ook een nieuwe dienst aan: een verzekering tegen de risico's van handel met het buitenland. Nu iedere onderneming deel uitmaakt van de globale economie is zo'n voorziening even hard nodig als een verzekering tegen brand- en waterschade in de beginjaren van de Industriële Revolutie. Alle kennis voor zo'n nieuwe verzekering is al beschikbaar, alleen de voorziening zelf ontbreekt nog.

De komende twintig of dertig jaar zullen waarschijnlijk grote technologische veranderingen te zien geven. Deze veranderingen zullen dieper ingrijpen dan de gevolgen die de opkomst van de computer heeft gehad. Even waarschijnlijk zijn veranderingen in de industriële structuur, in het economische en zelfs het sociale landschap.

De gentleman versus de technoloog

De bedrijfstakken die na de spoorwegen het licht zagen, hadden in technologisch opzicht maar weinig te danken aan de stoommachine of de Industriële Revolutie in het algemeen. Het waren vooral voortbrengselen van de nieuwe mentaliteit. Ze werden mogelijk gemaakt door de mentale instelling en de vaardigheden die de Industriële Revolutie had geschapen. Voortaan accepteerde men uitvindingen en innovatie niet alleen, men zocht er doelbewust naar. Nieuwe producten en diensten werden gretig verwelkomd.

De Industriële Revolutie schiep ook de sociale waarden die nieuwe industrieën mogelijk maakten. Maar voor alles ontstond de technoloog. Eli Whitney vond in 1793 de katoenspinmachine uit. Die was voor de Industriële Revolutie net zo belangrijk als de stoommachine. Maar Whitney moest lang wachten voor hij, als eerste Amerikaanse technoloog, in sociaal en financieel opzicht werd beloond. Een generatie later was de technoloog, hoewel ook toen nog autodidact, al een Amerikaanse volksheld die maatschappelijk werd geaccepteerd en financieel werd beloond. Samuel Morse, de uitvinder van de telegraaf, is daarvan misschien het eerste voorbeeld geweest, maar Thomas Edison zeker het meest prominente. In Europa bleef de ondernemer in maatschappelijk opzicht ondergewaardeerd, maar de universitair geschoolde ingenieur werd tegen 1840 al gewaardeerd als specialist.

Rond 1850 raakte Engeland zijn overheersende positie als industriële economie kwijt en werd het land geleidelijk voorbijgestreefd, eerst door de VS en later door Duitsland. De voornaamste oorzaak hiervoor was niet economisch of technologisch, maar sociaal. Economisch – en zeker financieel – bleef Engeland tot aan de Eerste Wereldoorlog overheersen. In technologisch opzicht wist het zich gedurende de negentiende eeuw te handhaven. Synthetische verfstoffen – de eerste producten van de moderne chemische industrie – zijn net als de stoomturbine in Engeland uitgevonden. In maatschappelijk opzicht werd de technoloog in Engeland echter niet geaccepteerd. Hij werd nooit een gentleman. Niet in Engeland maar in India zetten de Engelsen eersteklas technische hogescholen op. Geen enkel ander land overlaadde zijn wetenschappers met zoveel eerbewijzen. Op het terrein van de fysica wist het land in de negentiende eeuw zijn koppositie te behouden. Daarvan getuigen Maxwell, Faraday en Rutherford. De technoloog bleef echter een koopman. In zijn roman *Bleak House* uit 1853 toonde Dickens zijn onverholen minachting voor de beginnende staalondernemer.

Engeland vond evenmin de durfkapitalist uit. Deze figuur, die beschikte over de middelen en de mentaliteit om geld te steken in het onverwachte en onbewezene, was een Franse uitvinding. Hij werd voor het eerst geportretteerd in Balzacs indrukwekkende *La Comédie Humaine*, dat vanaf 1840 verscheen. De durfkapitalist werd een institutie in de VS (dankzij J.P. Morgan), Duitsland en Japan. Engeland mag de commerciële handelsbank hebben bedacht en ontwikkeld, het kreeg pas een instituut ter financiering van industriële activiteiten toen twee Duitse vluchtelingen, S.G. Warburg en Henry Grunfeld, in Londen een zakenbank opzetten. Dat was vlak voor het begin van de Tweede Wereldoorlog.

Kenniswerkers omkopen

Wat zou er nodig zijn om te verhinderen dat de VS het Engeland van de eenentwintigste eeuw wordt? Ik ben ervan overtuigd dat de sociale mentaliteit drastisch dient te veranderen. Net zo drastisch als de verandering in het leiderschap binnen de industriële economie na de opkomst van de spoorwegen. De handelaar moest toen zijn plaats afstaan aan de technoloog of de ingenieur.

De zogenaamde Informatierevolutie is in feite een kennisrevolutie. Het is niet aan machines te danken dat processen konden worden gestandaardiseerd. De computer vormt alleen de aanleiding. Software heeft traditioneel werk dat gebaseerd is op eeuwenlange ervaring gereorganiseerd. Dat was mogelijk dankzij kennis en vooral systematische logische analyse. De sleutel ligt niet bij de elektronica, maar bij de cognitieve wetenschappen. Hieruit volgt dat de sleutel voor het leiderschap in de opkomende economie en technologie ligt bij de sociale positie van kennisexperts en de maatschappelijke aanvaarding van hun visie en mentaliteit. Wie in hen traditionele werknemers ziet en hen dienovereenkomstig behandelt, herhaalt de fout die de Engelsen eerder maakten. Die zagen in technologen slechts kooplui. Dezelfde fout zou waarschijnlijk dezelfde consequenties hebben.

Momenteel proberen we de deur dicht te houden. We proberen onze traditionele kijk op de dingen te handhaven. Kapitaal is het belangrijkste, en de kapitaalverschaffer is de baas. We proberen kenniswerkers tevreden te stellen met bonussen en aandelenopties. Als dit al mogelijk is, kan het alleen zolang de opkomende industrieën een soortgelijke aandelenhausse meemaken als we eerder bij internetbedrijven zagen. De volgende generatie industrieën zal zeer waarschijnlijk veel meer op traditionele industrieën lijken. Dat wil zeggen dat hun ontwikkeling langzaam zal gaan, pijnlijk zal zijn en veel aandacht zal vragen.

De eerste industrieën ten tijde van de Industriële Revolutie – katoen, staal en spoorwegen – kenden een snelle ontwikkeling. Van de ene op de andere dag werden mensen miljonair. Denk maar aan Balzacs durfkapitalist of Dickens' staalfabrikant, die binnen een paar jaar van een eenvoudige huisbediende uitgroeide tot een *captain of industry*. Ook de industrieën die na 1830 ontstonden creeerden hun miljonairs. Maar die hadden er twintig jaar voor nodig, twintig jaar van hard werken, strijd, teleurstelling, mislukkingen en spaarzaamheid. Dit gaat waarschijnlijk ook op voor de industrieën die in de nabije toekomst zullen ontstaan. Het geldt nu al voor de biotechnologie.

Het omkopen van de kenniswerkers van wie deze industrieën afhankelijk zijn, zal daarom geen soelaas bieden. De belangrijksten onder hen zullen zeker verwachten dat zij meeprofiteren van de vruchten van hun arbeid. Maar de financiële vruchten zullen waarschijnlijk veel meer tijd nodig hebben om te rijpen, als ze al rijp worden. De kans is bovendien groot dat binnen een jaar of tien zal blijken dat de fixatie van bedrijven op aandeelhouderswaarde, contraproductief werkt. In toenemende mate zullen de prestaties van de op kennis gebaseerde industrie afhankelijk worden van regelingen om kenniswerkers aan te trekken, te behouden en te motiveren. Nu wordt dat geprobeerd door hun hebzucht te bevredigen. Wanneer dit niet langer lukt, zal men aan hun bredere belangen tegemoet dienen te komen. Men zal hun maatschappelijke erkenning en invloed moeten bieden. Men zal hen niet langer moeten zien als ondergeschikte werknemers maar als partners die betrokken dienen te zijn bij de leiding van het bedrijf.

(1999)

2

De exploderende internetwereld

U hebt gesteld dat het verstrekken van opties aan kenniswerkers hetzelfde is als hen omkopen. Als de aandelenhausse voorbij is, zullen hun opties in waarde zijn gedaald. Volgens u werkt het niet.

Vijf jaar geleden heb ik aan een paar vrienden en cliënten al verteld dat dit verschijnsel niet nieuw is. We hebben iets dergelijks al eerder gezien, zeker als je zo lang meeloopt als ik. Financiële prikkels weerhouden mensen er namelijk niet van om te vertrekken. Ze motiveren hen juist om wel te vertrekken. Zodra ze de bonus kunnen innen of hun opties kunnen verzilveren, is de financiële beloning het enige wat nog telt.

Bedrijven die dit hebben geprobeerd, hebben het grootste verloop gekend. Ooit had IBM de grootste vereniging van voormalige werknemers ter wereld. Het is ongelooflijk hoeveel mensen ik heb ontmoet die ooit bij Microsoft hebben gewerkt. De leden van de twee grootste verenigingen van oud-werknemers, die van Procter & Gamble en IBM, houden van hun voormalige bedrijven. Voormalige werknemers van Microsoft hebben een hekel aan Microsoft.

Dit vraaggesprek vond plaats in het kantoor van de auteur in Claremont, Californië. Het werd afgenomen door Mark Williams, een medewerker van het tijdschrift *Red Herring*. De onderwerpen waren afkomstig van de auteur. De definitieve tekst is door de auteur geschreven op basis van een ruwe versie van het interview. Het interview verscheen op 30 januari 2001 in *Red Herring*.

Ze hebben het gevoel dat hun daar alleen maar geld werd geboden en verder niets. Ze zijn teleurgesteld. Die ene topman krijgt alle publiciteit en zij wachten vergeefs op erkenning. Bovendien beseffen ze dat het waarderingssysteem louter financieel van aard is. Zij zien zichzelf echter als specialisten. Misschien niet als wetenschappers, maar wel als toegepaste wetenschappers. Daarom zijn voor hen andere zaken belangrijk.

Onlangs had ik contact met een hightechbedrijf. Ik heb gezien hoe dat zich in vijftig jaar ontwikkeld heeft tot een groot bedrijf; dan hebben we het over een omzet van 10 miljard dollar. Ik was er maar een dag, maar de conferentie voor de bedrijfstop ging twee weken lang over het vasthouden van kenniswerkers. Het verloop – ze zitten niet in Silicon Valley – was angstaanjagend hoog. Voorafgaand aan deze conferentie volgden ze een suggestie van mij. Ze brachten een bezoek aan ervaren onderzoekers en technici die vertrokken waren en vroegen hun naar de reden van hun vertrek. 'Als ik bij jullie langskwam voor een gesprek, hadden jullie het alleen maar over de aandelenkoers.' Een ander zei: 'Met drie van onze beste klanten heb ik een bezoek gebracht aan China. Toen ik terugkwam, ben ik naar het hoofd van de internationale technische dienst gegaan. Ik heb een uur lang geprobeerd te praten over de mogelijkheden die ik in China zag, maar het enige wat hem interesseerde was het feit dat de koers een dag eerder met acht punten gedaald was.'

Dat is niet leuk. Het management zal in toenemende mate een evenwicht moeten zien te vinden tussen kennis van de doelstellingen van mensen en zorg om de actuele financiële resultaten. Nu klink ik misschien als iemand van het oude financiële stempel, maar dat ben ik toevallig ook. Vroeger zou men gezegd hebben dat de controle over de markt is verdwenen als het overgrote deel van de handel niet in handen is van particulieren die aandelen kopen of verkopen maar van handelaren die op de korte termijn opereren.

Ik begrijp dat u bij een investeringsbank in Londen hebt gewerkt.

Drieënzestig jaar geleden heb ik de financiële wereld vaarwel gezegd en die heeft me sindsdien niet meer geïnteresseerd. Toch wist iedereen die een beetje kan nadenken zes maanden geleden al dat Intel het moeilijk zou krijgen. We maken een periode van verandering door waarin je moet investeren in zaken die ten eerste erg risicovol zijn en ten tweede een paar jaar nodig hebben. Iedereen die een beetje op de hoogte is wist dat. Maar toen Intel de problemen wereldkundig maakte, werd hun aandeel gewoon weggevaagd. Dat is een onstabiele markt.

Volgens u kunnen bedrijven kenniswerkers niet meer motiveren met aandelenopties.

Personeelsmensen zeggen wel eens dat je niet een hand kunt aannemen omdat de hele persoon meekomt. Evenmin kun je een individu aannemen omdat de partner meekomt. En die partner heeft het geld van die opties al uitgegeven. Dat is geen grap. Niets is gevaarlijker dan winstdeling, aandelenopties en dergelijke, die niet aan de verwachtingen beantwoorden.

Hebt u niet gezegd dat belangrijke kenniswerkers partners zullen moeten worden, in plaats van alleen maar aandeelhouders?

Inderdaad. Ik praat dan over dingen waaraan ik nog werk. Mijn gedachten hierover zijn nog niet uitgekristalliseerd. In veel gevallen zal het verstandiger zijn om gespecialiseerde, ervaren mensen in te huren.

De productiviteit van kenniswerkers moet gemeten worden. Hoe doen we dat?

We kunnen om te beginnen drie vragen stellen aan de lagere kenniswerkers. Wat zijn je sterke kanten en waar zou je aan moeten werken? Wat zou dit bedrijf van je mogen verwachten en op welke termijn? Welke informatie heb jij nodig om je werk te doen en welke informatie dien jij te leveren?

Dit heb ik jaren geleden geleerd, toen ik bij een van 's werelds grootste farmaceutische bedrijven werkte. Een nieuwe president-directeur verwachtte van het hoofd van iedere afdeling een uitleg over hun inbreng. Het hoofd van de afdeling Onderzoek zei: 'Onderzoek kun je niet meten.' Daarom richtten we ons op de onderzoeksafdeling en spraken we per keer met elf tot dertien mensen. 'Wat is de laatste vijf jaar van jouw kant een significante bijdrage geweest? En wat denk je de volgende drie jaar te kunnen bijdragen?' Stel dat ze iets hadden gevonden waardoor we onze ideeën over de werking van de pancreas zouden moeten bijstellen. Dan zou het nog wel eens minstens twintig jaar kunnen duren voor daar een product uit voortkwam. Diverse belangrijke bijdragen – ik spreek over het begin van de jaren zestig – waren op niets uitgelopen. Ze pasten niet in de markt voor farmaceutische bedrijven of niet in het beeld dat de medisch directeur van het bedrijf had. Dat moest dus veranderen. Daarom brachten we mensen van de medische, de marketing- en de productieafdeling in contact met de onderzoeksafdeling. Binnen vijf of zes jaar verdubbelde het aantal toepassingen dat voortkwam uit hun onderzoek.

Hoe staat het volgens u met de Amerikaanse gezondheidszorg, die verstrikt lijkt in contradicties?

Die is niet slechter dan ergens anders. Ze zijn allemaal bankroet. Het is een groeisector, om de eenvoudige reden dat gezondheidszorg en onderwijs binnen twintig jaar beslag zullen leggen op 40 procent van het bruto nationaal product. Nu is dat al minstens 30 procent.

Naarmate steeds meer diensten door overheidslichamen zullen worden afgestoten, maakt het weinig uit of degene die de taak krijgt de straten schoon te maken, dat nu wel of niet commercieel doet. Het maakt geen deel uit van de markteconomie. Als ik iets mag zeggen over jullie tijdschrift: de huidige aandacht voor e-commerce en B2B is nu vooral gericht op bedrijven. Maar ik denk dat de grootste invloed van e-commerce zou kunnen liggen op terreinen als hoger onderwijs en gezondheidszorg. Het maakt een rationele herstructurering van de gezondheidszorg mogelijk. Tachtig procent van de vragen op het terrein van de gezondheidszorg is bij de verpleging in goede handen. Die moet weten wanneer een patiënt moet worden doorverwezen, en dat kan tegenwoordig in veel gevallen worden opgelost met behulp van informatietechnologie.

Ik heb bij ziekenhuizen gewerkt die een verzorgingsgebied hadden met een straal van driehonderd kilometer. De informatietechnologie heeft voor hen ongelooflijk veel betekend. Neem bijvoorbeeld Grand Junction, Colorado, met 34.000 inwoners. De stad ligt op een afstand van zo'n 300 kilometer van zowel Denver als Salt Lake City. Dat zijn geen onaanzienlijke steden. Nu is het ziekenhuis van Grand Junction in staat een patiënt te diagnosticeren met behulp van de universitaire medische centra in Denver of Salt Lake City. Daarmee is het kernprobleem van de kleine ziekenhuizen opgelost. Vroeger waren die niet in staat zelf een gespecialiseerd centrum op te zetten.

Was dit het enige probleem van dat ziekenhuis? Zou het, uitgaande van het bevolkingsaantal van dat gebied, winstgevend kunnen zijn?

Er zijn misschien een miljoen mensen waarvoor Grand Junction het dichtstbijzijnde fatsoenlijke ziekenhuis is. Ik heb gewerkt met een samenwerkingsverband van vijfentwintig van zulke ziekenhuizen, van West Virginia tot Oregon. Dankzij informatietechnologie zijn zij nu vergelijkbaar met het academisch ziekenhuis van een grote stad. Als ze in Grand Junction niet weten wat ze aanmoeten met een patiënt die last heeft van stuiptrekkingen en duizeligheid, kan de arts nu zeggen dat het misschien met de schildklier te maken heeft en contact opnemen met Salt Lake City. De specialist daar stelt als diagnose een cyste op de schildklier die druk veroorzaakt op de halsslagader – dit is een praktijkvoorbeeld – en zegt dat hij zoiets al eens vaker heeft gezien, maar dat zijn collega in Denver daar meer van weet en dat de patiënt daar met een helikopter heen moet. En drie dagen later is zo'n patiënt terug in Grand Junction.

Zo zie je dat informatietechnologie al een enorme invloed heeft gehad op de gezondheidszorg. In het onderwijs zal die invloed nog groter zijn, maar het is een vergissing om gewone cursussen op internet te zetten. Marshall McLuhan had gelijk: het medium bepaalt niet alleen hoe er gecommuniceerd wordt maar ook wat. Op internet moet je het anders aanpakken.

Hoe dan?

Je moet alles opnieuw opzetten. Om te beginnen moet je de aandacht van de student vasthouden. Iedere goede leraar houdt voortdurend de reacties van zijn gehoor in de gaten, maar op internet kan dat niet. Ten tweede moet je de studenten in staat stellen iets te doen wat ze in het reguliere onderwijs niet kunnen, namelijk achterom- en vooruitkijken. Op internet moet je dus de kwaliteiten van een boek combineren met de continuïteit van een cursus. Maar je moet vooral een context leveren. Bij een cursus aan een instelling doet de instelling dat. Bij de internetcursus die je thuis volgt moet de cursus zelf de achtergrond, de context en de uitgangspunten leveren.

Kunt u iets zeggen over de mogelijkheden van online scholing in ontwikkelingslanden? De Indiase regering is bijvoorbeeld gestart met een programma om ieder dorp met het oog op onderwijs te voorzien van een computer met internetverbinding.

Nu steken mijn vooroordelen de kop op. Begin jaren vijftig stuurde president Truman me naar Brazilië om de regering daar ervan te overtuigen dat het dankzij nieuwe technologie mogelijk was om binnen vijf jaar tegen minimale kosten een einde te maken aan het analfabetisme. De Braziliaanse onderwijsbond saboteerde dat plan. We beschikken al heel lang over de mogelijkheden om analfabetisme te bestrijden.

Volgens mij is het terugdringen van het analfabetisme het enige wapenfeit van Mao in China. Niet door een nieuwe technologie, maar door een heel oude. De student die heeft leren lezen onderwijst de volgende. Docenten hebben overal geprobeerd dit tegen te gaan, omdat het hun monopolie bedreigt. Toch is het de snelste manier. Voor het eerst in de geschiedenis spreekt en begrijpt de grote meerderheid het Mandarijnenchinees. Het land is niet alleen verenigd door het schrift, maar ook door de taal. Tegenwoordig spreekt 70 procent van de mensen die taal. Toen Mao op het toneel verscheen was dat 30 procent.

We kunnen nu de nieuwe technologie beschikbaar stellen aan het meest afgelegen dorp in het Amazonegebied. Er bestaan echter diverse belemmeringen. In de eerste plaats is dat de enorme weerstand van de zijde van de leraren die zich bedreigd voelen. Ten tweede is het niet waar dat in ieder derdewereldland het onderwijs gesteund wordt. Ik heb in Columbia mijn best gedaan de Universidad del Valle in Cali te helpen opzetten. De situatie in de kleine stadjes in die koffiestreek was buitengewoon moeilijk. Ouders verwachten er dat hun kinderen vanaf hun elfde jaar op het land werken.

Dat is ook in India een groot probleem. Bovendien leiden scholen ertoe dat maatschappelijke verschillen worden verminderd. Dat vormt in een Indiase provincie als Orissa bijvoorbeeld weer een enorm probleem. De hogere kasten verzetten zich fel tegen toelating van kinderen uit lagere kasten.

Laten we terugkeren naar de gezondheidszorg. Volgens sommigen kan de markt ieder probleem van de Amerikaanse gezondheidszorg oplossen. Maar klopt dat wel als je kijkt naar de landelijk gelegen ziekenhuizen die nauwelijks mogelijkheden hebben om winst te maken?

Nee, de markt kan niet alle problemen oplossen. Laat ik duidelijk zijn. Ik ben adviseur geweest van twee grote instellingen op het gebied van de nationale gezondheidszorg. Bij de ene gedurende vijftig jaar, bij de andere dertig jaar. Het is onzin te denken dat de Amerikaanse gezondheidszorg in een crisis verkeert. Wel heerst er verwarring. Dat komt doordat wordt uitgegaan van cijfers uit 1900. In Duitsland of Japan is het nog veel erger. Zoals ik al zei, kan 80 procent van de hulpvragen op het gebied van de gezondheid afgehandeld worden door de verpleegkundige. Daarbij kunnen zich twee problemen voordoen. Om te beginnen moet je ervoor zorgen dat hij of zij niet buiten zijn boekje gaat. Daarom moet je benadrukken dat er beter te vaak dan te weinig kan worden doorverwezen. Het tweede probleem is dat een verpleegkundige niet de autoriteit heeft om iemands levensstijl te veranderen. Het aureool van de arts heeft een geschiedenis van drieduizend jaar. Het maakt wel degelijk verschil of het een verpleegkundige of een arts is die zegt dat je zeven kilo moet afvallen.

Dan is er nog de 20 procent van de problemen waarvoor een beroep moet worden gedaan op de moderne medische wetenschap. Ik zal je eens laten schrikken. Sinds de introductie van de antibiotica heeft de vooruitgang van de medische wetenschap niet meer geresulteerd in een stijging van de levensverwachting. Wel voor enkele kleine groepen, maar statistisch gezien is dat niet significant. De grote veranderingen hebben zich voorgedaan op het terrein van de arbeid. Toen ik werd geboren deed 95 procent van alle mensen handwerk. Doorgaans gevaarlijk, afstompend werk. Je hebt zeker wel eens van Franz Kafka gehoord?

Natuurlijk.

Je weet dat hij een groot schrijver was? Maar hij was ook de uitvinder van de veiligheidshelm. Hij was de grote man achter fabrieksinspecties en uitkeringen van verzekeringsmaatschappijen bij bedrijfsongevallen. In het huidige Tsjechië heeft hij een vooraanstaande rol gespeeld inzake de veiligheid op het werk. Een buurman van ons stond aan het hoofd van een soortgelijke instelling in Oostenrijk. Kafka was zijn idool. Toen Kafka ergens buiten Wenen lag te sterven aan longtuberculose, had onze buurman dr. Kuiper er elke ochtend twee uur voor over om hem op zijn fiets een bezoek te brengen. Daarna nam hij de trein naar zijn werk. Toen na Kafka's dood bekend werd dat hij schrijver was geweest, was niemand verbaasder dan dr. Kuiper. In 1912 kreeg Kafka de gouden medaille van het American Safety Congress. Dankzij zijn veiligheidshelm stierven er toen in wat nu de Tsjechische Republiek is voor het eerst minder dan 25 per duizend werknemers in de staalindustrie.

Wist u dat Blue Cross en Blue Shield of Massachusetts net zo veel mensen in dienst hebben voor 2,5 miljoen inwoners van New England als in heel Canada werkzaam zijn voor 27 miljoen Canadezen?

Ja, en het klopt niet. U vergelijkt...

Appels met peren?

Nee, appels met bevers. Het Canadese systeem is niet opgezet om zorg te leveren. Het keert vaste bedragen uit, meer niet. Wat wij doen, doet het Canadese systeem niet. Daar zegt men niet tegen een arts wat hij moet doen. Men zegt alleen: hiervoor krijg je X dollar in Ontario en Y dollar in Saskatchewan. Vooral in Massachusetts probeert Blue Cross een verstrekker van gezondheidszorg te zijn, en geen betaler. Het Canadese systeem regelt de zorg niet, het regelt de kosten.

Welke kant moet het op met de Amerikaanse gezondheidszorg?

Als we hadden geluisterd naar president Eisenhower, zouden we nu niet in de problemen hebben gezeten. Zoals u misschien niet weet, werd hij tegengehouden door de UAW, de vakbond van werknemers in de auto-industrie. In de jaren vijftig was gezondheidszorg betaald door het bedrijf, het enige wat de vakbonden nog te bieden hadden. Daaraan zou een einde zijn gekomen door het plan van Eisenhower. Die wilde dat de overheid zou bijspringen als iemand meer dan 10 procent van zijn belastbare inkomen zou uitgeven aan ziektekosten. De UAW torpedeerde dat plan dus, daarin gesteund door de American Medical Association. De AMA had niet veel invloed, maar de UAW wel.

U hebt zich uitgelaten over demografische veranderingen. De komende veertig jaar zullen er in de ontwikkelde landen steeds meer ouderen zijn en in de ontwikkelingslanden steeds meer jongeren. Maakt u zich er zorgen over hoe het voor jongeren zal zijn om te leven in een wereld die gedomineerd wordt door ouderen?

Met uitzondering van de VS daalt het aantal jonge mensen in de ontwikkelde landen al scherp. In de VS zal dat aantal over vijftien of achttien jaar gaan afnemen. Vanaf 1700 zijn we er steeds van uitgegaan dat de bevolking groeit en dat de onderkant van de piramide sneller groeit dan de top, dus dit is echt uniek. We weten totaal niet wat het betekent.

Toch zijn er een paar aanwijzingen. Zo weten we dat de mensen uit de middenklasse in de Chinese kuststeden meer geld uitgeven ten behoeve van het ene kind dat hun is toegestaan, dan ze plachten uit te geven aan de vier kinderen die ze vroeger hadden. Die kinderen worden verschrikkelijk verwend. Dat geldt ook voor dit land. Als ik zie wat tienjarigen gemiddeld hebben... Voor mensen van mijn generatie is dat onvoorstelbaar.

Bovendien, als sprake is van jonge mensen in de ontwikkelde wereld, gaat het vooral over immigranten en niet over kinderen. Of het nu de Mexicaan betreft die het zuiden van Californië binnenkomt, de Nigeriaan die Spanje of de Oekraïener die Duitsland binnenkomt, het gaat steeds om immigranten. Het zullen jongeren zijn, aangezien de gemiddelde leeftijd van immigranten in de ontwikkelde wereld tussen de achttien en de achtentwintig ligt. Voor hun vorming is een enorme kapitaalsinvestering nodig, maar aan adequate scholing ontbreekt het nog. En wat dat betekent weten we niet. Misschien een enorme stijging van onze productiviteit, misschien een enorme toename van de vraag naar onderwijsuitgaven. We weten het niet, we hebben zoiets nog nooit meegemaakt.

Wat in ieder geval vaststaat, is dat de huidige jongerencultuur niet het eeuwige leven heeft. Het is al lang bekend dat het gezicht van de cultuur bepaald wordt door het snelst groeiende deel van de bevolking. In de toekomst zullen dat niet de jongeren zijn.

Tegenwoordig kunnen we voor tien dollar een horloge aanschaffen dat betrouwbaarder en duurzamer is dan de horloges die bedrijven vroeger uitreikten aan jubilarissen. In de autoindustrie is dezelfde trend zichtbaar. De ontwerpen van auto's worden steeds verfijnder, auto's worden steeds betrouwbaarder en veiliger. Hoe moeten bedrijven concurreren als deze trend zich uitbreidt over steeds meer bedrijfstakken?

Tegen mijn cliënten zeg ik simpelweg dat een bedrijf gebaseerd op handwerk geen toekomst meer heeft. Bedrijven dienen zich te transformeren tot een kennisbedrijf dat zich richt op distributie. Het differentiëren van producten is met handwerk onmogelijk.

In dit opzicht is de auto-industrie interessant. In de afgelopen dertig jaar is de prijs van een auto naar verhouding met 40 procent gedaald. Daar staat tegenover dat veel automobilisten zijn overgestapt op een terreinwagen. Waarschijnlijk betalen deze mensen niet veel minder dan dertig jaar geleden, als je rekening houdt met de inflatie en de relatieve koopkracht van kennis. Gecorrigeerd voor de inflatie is de prijs van producten sinds het Kennedy-tijdperk met 40 procent gedaald. De kosten van onderwijs en gezondheidszorg, de twee belangrijkste kennisproducten, bedragen nu het drievoudige van de inflatie over die periode. De prijs van producten is misschien slechts een vierde van wat die veertig jaar geleden was. De autoindustrie heeft daarvoor als enige een compensatie ontvangen doordat mensen die duurdere wagens gingen aanschaffen. Maar ook al worden deze auto's door een groot deel van bevolking gekocht, ze gaan ook veel langer mee. Daarom vormen ze alleen op korte termijn een bron van winst.

En op de lange termijn? Ooit kocht 40 procent van de Amerikanen iedere twee jaar een nieuwe auto. Van degenen die het postdoctoraal managementprogramma hier volgen heeft waarschijnlijk niemand een auto die jonger is dan vijf jaar. De conclusie is dat een autofabriek ook zonder productdifferentiatie kan overleven. Niemand weet hoeveel het kost om je marktaandeel met een procentpunt te verhogen. Dat haal je dan bij een ander weg. Er bestaat geen bedrijfstak waarin meer geld wordt verdiend.

Daarom is het noodzakelijk dat bedrijven worden omgevormd

tot distributiebedrijven. Daaraan moet kennis van de gegevens ten grondslag liggen. Dat is een fundamentele verandering. Je kunt het vergelijken met wat er sinds de Eerste Wereldoorlog in de landbouw is gebeurd. De productievolumes stijgen zeer snel, maar het aandeel in het bruto nationaal product daalt zeker zo snel. Produceren voegt geen waarde meer toe. Dat doen alleen nog kennis en distributie.

U bent tijdens de Depressie naar Amerika gekomen. Intellectuelen hadden zich toen veelal bij een ideologie aangesloten, maar u was onafhankelijk genoeg om u te realiseren dat 'de sociale taken in en door bedrijven georganiseerd zouden kunnen worden'. Gebeurtenissen van de laatste tijd, zoals de demonstraties in Seattle, laten zien dat de marxistische kritiek op het Victoriaanse kapitalisme nog altijd bepalend is voor de manier waarop mensen naar bedrijven kijken. Hoe zou dat kunnen veranderen?

Ik zou willen zeggen dat er zeer goede redenen zijn waarom deze demonstranten bij elkaar een samengeraapt zootje vormden. Ze hadden niets gemeenschappelijks en zullen niet veel invloed hebben. Voor wereldwijde vrijhandel hoeven we niet bang te zijn. De neergang van de productie zal ons tot protectionisme dwingen. Iedere procent daling in de werkgelegenheid in de landbouw en de veeteelt heeft sinds de Tweede Wereldoorlog in alle ontwikkelde landen geleid tot 2 procent stijging van de landbouwsubsidies. Hetzelfde valt te verwachten voor de productiesector. Er komt geen vrije markt van goederen en diensten. Een vrije markt betekent alleen een vrije informatiemarkt. Op het gebied van goederen en diensten – en zeker van goederen – zal er juist steeds meer protectie komen. Hoe minder banen, hoe meer protectie. In de landbouw hebben we dat ook gezien.

Ik ben het eens met Fox, de Mexicaanse president. Hoe sneller Mexico geïntegreerd wordt in de economie van Noord-Amerika, hoe beter het is. Ontwikkeling vindt niet meer zoals vroeger plaats op basis van export. Terwijl het geboortecijfer in Mexico sneller daalt dan waar ook ter wereld – van vier of vijf kinderen naar minder dan twee, en binnen tien jaar waarschijnlijk naar minder dan één – is er momenteel een enorm aantal mensen van rond de twintig, als gevolg van de hoge geboortecijfers van twintig jaar geleden. Toen nam de kindersterfte drastisch af. De vraag is alleen wat er van deze mensen terecht zal komen. Zullen het laagbetaalde arbeidskrachten worden in het zuiden van Californië of nog slechter betaalde in Mexico? Het antwoord is duidelijk.

Fox heeft absoluut gelijk. Hij beschouwt de regio Noord-Amerika als een beschermd, zwaar gesubsidieerd gebied. Op het terrein van de landbouw is dat gebied vergelijkbaar met de Europese Economische Gemeenschap. In de toekomst zal de vergelijking ook opgaan voor de productiesector. Deze ontwikkeling is het meest bedreigend voor de Japanners omdat er niet zoiets bestaat als een Oost-Aziatische regio. En als die er komt, zal China die domineren.

Mensen die tegen de globalisering demonstreren hebben dus niet alleen een motief, ook al protesteren ze tegen de verkeerde dingen, maar ze voelen de pijn ook. Het Amerikaanse beleid van de afgelopen dertig jaar om overal de vrijhandel te bevorderen, gaat ervan uit dat de VS op de meeste plaatsen de overhand hebben. En dankzij onze kennisvoorsprong was dat ook zo, maar ik denk niet dat dat vanzelfsprekend is. Ik zeg niet dat we gevaar lopen, maar er is alle reden om aan te nemen dat andere regio's ons zullen inhalen.

Ik denk dat een regionaal protectionisme de kop zal opsteken. Ook het ecologische verzet tegen de globalisering zal toenemen. Bent u ooit in Indonesië geweest? Het toezicht is wettelijk geregeld, maar de vervuiling is ongelooflijk. Bali wordt door de vervuiling vernietigd. De export van vervuiling zal de druk om die te beperken doen toenemen.

En overal wordt immigratie het centrale politieke probleem. Als je het zo bekijkt, zijn die demonstranten geen post-marxisten, ook al zitten die er wel onder.

Dit zijn niet alleen kinderen van de welvaart die iets zoeken om zich voor in te zetten?

Tot nu toe hadden de protesten geen duidelijk doel. Het zijn protesten tegen het systeem, wat dat ook betekenen mag. We hebben een snelle overgang gezien van een arbeidsintensieve naar een kapitaalintensieve samenleving. Tot nu toe heeft dat het relatieve koopkrachtverlies voor productiegoederen kunnen compenseren, maar ik weet niet hoe lang dat nog zal doorgaan.

Overal ter wereld verliest de arbeider iets wat belangrijker is dan inkomen: zijn status daalt. Dat is de reden dat hij protesteert tegen de globalisering. Hij denkt dat er werkgelegenheid verdwijnt. Absoluut niet! Het aantal banen dat verdwijnt is minimaal. Het gaat er niet om dat er wat banen verdwijnen, het gaat erom dat het werk hier totaal verandert. Er zullen zeker nog meer van deze protesten komen. Mensen stellen zich teweer tegen de doelen van gisteren, maar ze verzetten zich vanwege de ellende die ze nu meemaken.

(2001)

3

Van computer- naar informatiealfabetisme

Deutsche Post riep de eerste managementconferentie in de geschiedenis bijeen. Dat was in 1882. Centraal stond de vraag hoe de angst voor telefoons kon worden overwonnen. Voor de conferentie waren alleen ceo's uitgenodigd, maar er kwam niemand opdagen. Zij voelden zich beledigd. Het was ondenkbaar dat zij gebruik zouden maken van telefoons. Die waren alleen voor ondergeschikten.

Ik moest hieraan denken toen ik aan het begin van de jaren zestig voor IBM probeerde computers toegankelijk te maken voor leidinggevenden. Ook toen hadden sommige mensen al door dat hier geen sprake was van een modegril, maar van iets wat de manier waarop we bedrijfstakken organiseren en zakendoen grondig en zelfs fundamenteel zou veranderen. Informatie zou de belangrijkste productiefactor worden.

Tom Watson jr., van IBM, had een briljant idee. We zouden een conferentie beleggen voor ceo's en het met hen hebben over 'computeralfabetisme'. Van die gelegenheid dateert ook de term.

Ik probeerde Watson echter onmiddellijk van zijn briljante idee af te brengen en vertelde hem het verhaal van Deutsche Post. 'Je bevindt je in hetzelfde stadium,' zei ik. 'Er komt niemand. Het staat te ver van hen af.'

Vijfentwintig of dertig jaar geleden was zo'n bijeenkomst inderdaad onmogelijk. En over dertig jaar zal die niet meer nodig zijn omdat de huidige ceo's dan zijn opgevolgd door de generatie van hun kleinkinderen.

Iedereen die die generatie kent of kinderen heeft tussen de tien en de dertien zal niet opkijken van wat mij overkwam toen ik op bezoek was bij mijn jongste dochter en haar kinderen. Mijn kleinzoon van dertien is een heel lieve jongen, maar voor hem hebben computers al afgedaan. Iets voor kinderen, vindt hij. Alleen *parallel processing* kan hem nog bekoren. Maar er ontgaat hem weinig. Hij zei tegen me: 'Opa, de computer van papa is uit de tijd.'

De grap? Mijn schoonzoon is hoogleraar fysica en heeft in die functie een van de grotere niet-militaire computerconfiguraties onder zich. Toch had mijn kleinzoon gelijk.

Als deze generatie opgroeit en onze banen overneemt, hoeven we het niet meer over computeralfabetisme te hebben. Zoals we ook niet meer hoeven praten over telefoonangst. Mijn vijfjarige kleindochter kan de hele wereld rondbellen. En dat doet ze ook.

Natuurlijk is mijn kleinzoon niet de enige computeralfabeet. In dit land is zijn hele generatie dat. Op dit gebied lopen we ver voorop. In Japan staat het in de kinderschoenen en in Europa heeft nog niemand ervan gehoord. Nichten en neven van mijn vrouw wonen in Duitsland en hun kinderen weten nog van niets, ook al zijn hun ouders wetenschappers. Hun ouders werken met computers, maar het idee dat negen- of tienjarigen vertrouwd zouden moeten zijn met computers is nieuw voor hen.

Ook al lopen we op dit gebied voorop, we zijn er nog niet. Over tien of vijftien jaar zal computeralfabetisme niet langer een vanzelfsprekendheid zijn. We zullen tegen die tijd ook informatiealfabeten zijn geworden. Maar nu zijn die nog schaars.

De meeste ceo's geloven nog altijd dat het de taak van de *Chief Information Officer* is om vast te stellen welke informatie de ceo nodig heeft. Dat is natuurlijk een misvatting. De cio maakt een stuk gereedschap; de ceo is degene die het gereedschap gebruikt.

Ik zal een voorbeeld geven. Onlangs begon ik aan de reparatie van de met stof beklede bank in onze logeerkamer, iets wat ik trouwens drie jaar geleden al had moeten doen. In de ijzerwarenzaak vroeg ik de eigenaar welke hamer ik daarvoor het best kon gebruiken. Ik vroeg hem niet of ik die bank moest herstellen, dat was mijn beslissing. Ik vroeg hem alleen om het goede stuk gereedschap. En dat gaf hij me.

Toen ik mijn fax een paar jaar geleden liet installeren, vroeg ik de installateur om een nieuwe telefoonlijn aan te leggen. Het was een heel behulpzame man. Hij keek om zich heen en zei tegen me: 'U hebt misschien de verkeerde plek gekozen, ik denk dat hij daar niet goed zou staan. Waarom zetten we hem niet hier neer? Hier kan ik gemakkelijk een leiding aanbrengen.' Hij vertelde mij natuurlijk niet wie ik faxen moest sturen en wat ik daarin moest vermelden. Dat was mijn taak. Het was zijn taak mij van het gereedschap te voorzien.

Ceo's moeten accepteren dat als de computer een stuk gereedschap is, het de taak van de gebruiker is om te beslissen hoe hij het zal gebruiken. Gebruikers moeten leren om zich verantwoordelijk te voelen voor de informatie. Welke informatie heb ik nodig voor deze taak? Van wie? In welke vorm? Wanneer? Maar ook: welke informatie moet ik doorgeven? Aan wie? In welke vorm? Wanneer? Helaas verwachten de meeste mensen van de cio of een andere technische specialist dat hij deze vraag zal beantwoorden, maar zo gaat dat niet.

Ik geef les aan een kleine hogeschool in Claremont. Ongeveer twaalf jaar geleden wilden wij een nieuw gebouw voor de afdeling Computerwetenschappen. Het geld inzamelen lukte ons beter dan Stanford en Yale. Van bedrijven kregen we enorme bedragen binnen, omdat we in ons voorstel zeiden: 'Deze opleiding zal over tien jaar niet meer bestaan. Als we het maar een beetje goed doen, zal hij overbodig zijn geworden. Over tien jaar zullen er computeringenieurs zijn en er zullen mensen zijn die software ontwerpen, maar computerwetenschap als aparte discipline binnen een managementopleiding zal dan niet meer bestaan.'

We kregen zoveel geld omdat we simpelweg zeiden dat we tien of vijftien jaar later niet veel tijd meer zouden besteden aan het opleiden van gereedschapsmakers. Natuurlijk zullen we hen nodig hebben, maar gebruikers zullen weten hoe ze die gereedschappen moeten gebruiken. Het maken van gereedschappen blijft belangrijk, maar het is dan een louter technische aangelegenheid geworden.

De eerste stap is om verantwoordelijkheid te nemen voor informatie. Welke informatie heb ik nodig voor deze taak? In welke vorm? De informatiespecialist kan dan zeggen: 'Kijk eens hier, je kunt het in deze vorm krijgen, je kunt het zus krijgen, je kunt het zo krijgen.' Het antwoord is betrekkelijk onbelangrijk en technisch. De vragen die tellen zijn de basisvragen. Wanneer heb ik het nodig? Van wie? En welke informatie moet ik doorgeven?

We reorganiseren onze organisaties om de informatie heen. Als ceo's praten over het elimineren van managementniveaus, gebruiken ze informatie als een structureel element. Vaak ontdek je algauw dat de meeste managementniveaus helemaal niet managen. Integendeel, zij doen niets dan het versterken van de vage signalen die of van beneden of van boven uit de bedrijfsstructuur komen. Ik denk dat de meeste ceo's de eerste wet van de informatietheorie wel kennen: iedere overgang verdubbelt de ruis en halveert de boodschap. Hetzelfde gaat op voor de meeste managementniveaus, aangezien die mensen noch leiding geven, noch besluiten nemen. Het zijn tussenschakels. Als wij informatie inbouwen als een structureel element, hebben we zulke niveaus helemaal niet nodig.

Hierdoor ontstaan echter enorme problemen. Bijvoorbeeld: waar moeten we nog zoeken naar promotiemogelijkheden? Weinig bedrijven zullen nog meer dan twee of drie managementlagen hebben. Zullen ceo's kunnen aanvaarden dat meer lagen duiden op een slechte organisatie? Je schendt daarmee een basisregel. Heel weinig mensen krijgen een leidinggevende functie voor ze zes- of zevenentwintig zijn. En je moet vijf jaar in een baan werkzaam zijn om het werk te leren en jezelf te bewijzen. Toch moet je ruim voor je vijftigste al in aanmerking zien te komen voor een hogere managementfunctie, want anders ben je weer te oud. Dat zijn drie managementniveaus.

Als je vandaag de dag kijkt naar General Motors en dat vergelijkt met vroeger, dan zie je dat het bedrijf een stuk slanker is geworden. Vroeger kende het negenentwintig niveaus. Dat kwam erop neer dat eigenlijk niemand in aanmerking kwam voor een positie in het topmanagement voordat hij 211 was. Dat is natuurlijk een deel van het probleem van General Motors.

Waar zullen nog promotiemogelijkheden zijn? Hoe kunnen we mensen straks belonen en waarderen? En hoe kunnen we mensen voorbereiden op banen die functioneel gezien niet te beperkt zijn?

Dit zijn echt grote uitdagingen. En de antwoorden kennen we niet. We weten alleen dat we veel meer zullen moeten betalen. Geld zal veel belangrijker worden, omdat we in de afgelopen dertig jaar in veel gevallen geld hebben vervangen door titels. We kenden snelle promoties met heel weinig salarisstijgingen. Dat is nu voorbij.

De veranderingen in dit proces zijn heel belangrijk. Als we leren om informatie als gereedschap te gebruiken, leren we ook waar we het voor moeten gebruiken, wat we nodig hebben, in welke vorm, wanneer, van wie enzovoort. Zodra je deze vragen kritisch bekijkt, dringt het tot je door dat je de informatie die je nodig hebt – de zeer belangrijke informatie – niet kunt ontlenen aan je informatiesysteem. Dat systeem voorziet je alleen van bedrijfsinformatie, maar binnen een bedrijf zijn er helemaal geen resultaten.

Jaren geleden heb ik de term *profit center* bedacht. Daar schaam ik me nu vreselijk voor, omdat er binnen een bedrijf helemaal geen *profit centers* bestaan. Alleen maar *cost centers*. Winst komt alleen van buiten. Als een klant terugkomt voor een nieuwe bestelling en zijn cheque is gedekt, heb je een *profit center*. Daarvóór heb je alleen een *cost center*.

Ik denk dat niemand gelooft dat je de wereldeconomie kunt managen. Dat kan gewoon niet. De benodigde informatie ontbreekt. Maar als je in de ziekenhuiswereld zit, kun je wel ziekenhuizen kennen. Als je gedropt zou worden op een onbekende plek en je moest je weg vinden naar de lichten in het dal, zou je kunnen vaststellen welk gebouw het ziekenhuis is. Ik kan je verzekeren dat je zelfs in Binnen-Mongolië zou weten of je je in een ziekenhuis bevindt. Daar vergis je je niet in. Hetzelfde geldt voor een school of restaurant.

Van mensen die me vertellen dat ze in de wereldeconomie werken, verkoop ik de aandelen onmiddellijk. Je kunt niet werken in een omgeving waarvan je niets kunt weten. We hebben gewoon de informatie niet. Er valt niets van te weten. Je kunt alleen maar weten wat je weet. Daarom zullen ondernemingen in de toekomst heel erg gefocust zijn.

Diversificatie is alleen zinvol wanneer je over informatie beschikt. En die heb je niet als er zonder enige waarschuwing een concurrent kan opdoemen uit Osaka. Over de buitenwereld, over markten, over klanten hebben we maar heel weinig informatie. Veel mensen zijn er door schade en schande achter gekomen dat niets zo snel verandert als distributiekanalen. En als je wacht tot het rapport er is, ben je al veel te laat.

Technologie vormt zelf de beste illustratie. We leven niet langer in de negentiende of twintigste eeuw. Toen kon je er nog van uitgaan dat de technologieën die van betekenis waren voor jouw bedrijfstak voortkwamen uit de bedrijfstak zelf.

Grote eigen onderzoekslaboratoria zoals dat van IBM gaan uit van een achterhaalde gedachte. De belangrijkste invloeden op de computer en de computerindustrie kwamen niet uit het laboratorium van IBM. IBM was niet in staat iets te doen met al die briljante dingen die uit het eigen laboratorium kwamen. Hetzelfde geldt voor de laboratoria van Bell en van de farmaceutische industrie.

De technologie vertoont niet langer de afzonderlijke vakgebieden die in de negentiende eeuw ten grondslag lagen aan onze academische disciplines. Het is nu een wirwar en een chaos. We zijn afhankelijk van de buitenwereld, en juist daar weten we niets van.

Stel, je bent een geneesmiddelenfabrikant. Je wordt voorbijgestreefd wordt door apparaten of processen zoals een pacemaker of een bypass. Je hebt misschien het beste laboratorium van de wereld, maar de veranderingen binnen je bedrijf zullen niet te danken zijn aan dat laboratorium. Je laboratorium is naar binnen gekeerd, net als je informatiesysteem.

In wezen proberen we te vliegen met één vleugel: de vleugel van de interne informatie. De grote uitdaging is niet het vergaren van meer of betere bedrijfsinformatie, maar het toevoegen van informatie over de buitenwereld.

Een voorbeeld. De meeste mensen geloven dat dit land een handelstekort kent. Zij hebben het mis, maar dat weten ze niet. Het vroeg achttiende-eeuwse idee van een handelsbalans is te danken aan een of andere knappe kop, maar zijn briljante idee had alleen betrekking op de goederenhandel, en alleen daarover wordt gerapporteerd.

Hoewel de VS momenteel een handelstekort heeft, heeft het tegelijk een enorm dienstenoverschot. De officiële omvang daarvan bedraagt tweederde van het handelstekort. Het werkelijke cijfer is waarschijnlijk veel hoger, omdat de echte cijfers voor de dienstensector gewoon niet beschikbaar zijn.

We hebben hier ongeveer 500.000 buitenlandse studenten. Zij betalen per persoon minimaal 15.000 dollar. We ontvangen zo'n 7 of 8 miljard dollar van deze niet-Amerikaanse studenten, maar dat vind je nergens terug. Misschien hebben we zelfs wel een klein overschot. Het concept is er wel, maar de cijfers ontbreken. Het verkrijgen van externe informatie zal voorlopig de belangrijkste uitdaging blijven. Zonder die informatie kunnen geen goede beslissingen worden genomen. Dat gaat op voor de thuismarkt en voor de wijze waarop klanten en distributiesystemen veranderen. En voor technologie en concurrentie, want die kunnen je allebei flink dwarszitten. Toen de pacemaker aansloeg, verdween de markt voor de meest winstgevende hartmedicijnen binnen vijf jaar.

We hebben externe informatie nodig en we zullen ons moeten informeren. Dat is echter niet eenvoudig aangezien de meeste bedrijven over twee informatiesystemen beschikken. Het ene is georganiseerd rond de data. Het andere, dat veel ouder is, rond de boekhouding. Dit laatste systeem bestaat al vijfhonderd jaar en het verkeert in een deplorabele staat. De veranderingen die we de komende twintig jaar zullen zien op het gebied van de informatietechnologie zullen in het niet vallen bij de veranderingen op boekhoudkundig gebied.

We hebben al veranderingen kunnen zien bij *manufacturing cost accounting*. Daarvan gaan de wortels terug naar de jaren twintig van de twintigste eeuw; inmiddels is het systeem volstrekt verouderd. Het betreft echter alleen de productie en niet de diensten. Het aandeel van de productie bedraagt momenteel 23 procent van het BNP en misschien 16 procent van de werkgelegenheid. Van de grote meerderheid van de bedrijven hebben we derhalve geen betrouwbaar beeld.

Het probleem met de verslaglegging binnen de dienstensector is eigenlijk eenvoudig. Of het nu gaat om een warenhuis, een universiteit of een ziekenhuis, we weten hoeveel geld er binnenkomt en hoeveel er uitgaat. We weten zelfs waar het heen gaat. We zijn echter niet in staat om de uitgaven in verband te brengen met de resultaten. Niemand weet hoe dat zou moeten.

Momenteel zijn beide systemen volledig gescheiden. Als onze kleinkinderen groot zijn, zal dat niet meer zo zijn. Vandaag de dag zijn de ceo's nog steeds afhankelijk van het bestaande boekhoudsysteem. Ik ken niet één bedrijf dat zijn beslissingen baseert op het dataverwerkingssysteem. Iedereen baseert zijn beslissingen op het boekhoudkundige model, hoewel de meesten van ons inmiddels wel weten hoe gemakkelijk dit te manipuleren is.

We weten wanneer we het kunnen vertrouwen en wanneer dat niet kan. We zijn ervaren genoeg om te weten dat we niet over één nacht ijs moeten gaan. We hebben geleerd om uit te gaan van de kasstroom; iedere tweedejaars accountancy kan een P&L manipuleren. Eén generatie verder zullen we vertrouwd zijn geraakt met het dataverwerkingssysteem. Dan zullen we ook in staat zijn beide systemen te combineren of op zijn minst op elkaar af te stemmen. Dat is nu nog niet het geval. Beide worden nog altijd aan verschillende instellingen onderwezen.

Accountancy en computerwetenschap kunnen beide als hoofdvak gekozen worden, maar doorgaans ontbreekt de onderlinge communicatie. Beide vakgebieden staan meestal onder leiding van mensen die weinig verstand hebben van informatie. De één kent de reglementen van de overheid, de ander is afkomstig uit de hardware. Geen van beide weet veel over informatie.

We zullen deze twee bij elkaar moeten brengen, maar we weten nog niet hoe dat moet. Ik denk dat over tien jaar een middelgroot bedrijf, en zeker een groot bedrijf, zal beschikken over twee verschillende personen voor twee posities die nu nog in handen zijn van één persoon. Bedrijven zullen een *Central Financial Officer* hebben, die geen mensen aanstuurt maar verantwoordelijk is voor de geldstromen binnen het bedrijf. Het grootste deel daarvan zal betrekking hebben op handel met het buitenland. Dat is nu al lastig, en dat wordt nog erger. Het bedrijf zal ook een cio hebben om het informatiesysteem te managen. Het bedrijf heeft beiden nodig, maar ze kijken op een heel verschillende manier naar de wereld en de onderneming.

Beiden zijn echter niet gericht op het vermogen van het bedrijf om welvaart te creëren, noch op toekomstige beslissingen. Ze zijn allebei gericht op het verleden, en niet op wat er zou kunnen gebeuren of op wat je zou kunnen laten gebeuren.

Er wacht ons een geweldige taak. We moeten ervoor zorgen dat wij én onze bedrijven informatiealfabeten worden. Die taak zal beginnen bij het individu. We moeten gebruikers worden van gereedschap. We moeten informatie zien als een stuk gereedschap voor een specifieke taak. De meeste mensen zijn nog niet zover, en zij die er wél zo naar kijken zitten niet in het bedrijfsleven. Degenen die er tot nu toe het verst in zijn gegaan zijn de militairen.

Een andere belangrijke taak is het gebruik van onze dataverwerkingscapaciteit om te begrijpen wat er in de buitenwereld gebeurt. De beschikbare data zijn vaak onbruikbaar of van twijfelachtige waarde. De enige bedrijven die nu al over de benodigde informatie beschikken zijn de grote Japanse handelshuizen. Zij hebben informatie over de buitenwereld (wat ze van Brazilië weten is verbazingwekkend), maar het heeft ze veertig jaar en heel veel geld gekost om zover te komen.

De informatie die voor de meeste ceo's het belangrijkst is heeft geen betrekking op de eigen klanten, maar op mensen die geen klant zijn. Dat is de groep waarin veranderingen zullen voorkomen.

Laten we even stilstaan bij het Amerikaanse warenhuis. Die sector staat momenteel onder druk. Ooit was er niemand die méér wist van zijn klanten dan deze ondernemingen. Tot in de jaren tachtig van de twintigste eeuw wisten ze hun klanten vast te houden. Maar over de mensen die bij hen kochten hadden ze geen enkele informatie. Hun aandeel in het totaal van de detailhandel was 28 procent. Dit impliceerde echter dat 72 procent geen inkopen deed in warenhuizen. De warenhuizen wisten niets van deze mensen en daar maakten ze zich ook in het geheel niet druk om. Vandaar dat ze zich er ook niet bewust van waren dat nieuwe klanten – en zeker de meer welvarende onder hen – bij hen geen inkopen deden. Niemand weet waarom, maar ze komen gewoon niet. Tegen het eind van de jaren tachtig waren deze niet-kopers echter de groep geworden met de meeste invloed. Zij begonnen het koopgedrag te bepalen. In de wereld van de warenhuizen was er echter niemand die dit wist; daar hadden ze alleen maar oog gehad voor hun eigen klanten. Geleidelijk aan wisten ze dus steeds meer van steeds minder.

We moeten onze ogen openen voor het belang van externe informatie, want daar, in de buitenwereld, bevinden zich de echte *profit centers*. We zullen een systeem moeten opzetten dat de informatie brengt bij degenen die de beslissingen nemen. En we zullen de twee systemen – de boekhouding en de dataverwerking – samen moeten brengen. Weinig mensen zijn daarin geïnteresseerd. We staan nog maar aan het begin.

Als je een computeranalfabeet bent, moet je niet verwachten dat iemand in je organisatie respect voor je zal opbrengen. Voor jonge mensen binnen het bedrijf zijn computers een vanzelfsprekendheid. Ze verwachten van hun baas dat hij computervaardigheden heeft. Mijn kleindochter van vijf zou geen respect voor me hebben als ik haar zei: 'Ik heb telefoonangst.' Ze zou het niet eens geloven.

De tijden veranderen en wij moeten mee veranderen. We gaan van een minimale computergeletterdheid – waarbij we weinig meer weten dan het alfabet en de tafels van vermenigvuldiging – naar het punt waar we echt iets kunnen doen met computers. Dat is voor de komende jaren een opwindend en uitdagend perspectief.

We staan nog maar aan het begin. Het zal snel gaan.

(1998)

4

E-commerce: de belangrijkste uitdaging

Traditionele multinationals zullen het ooit afleggen tegen e-commerce. Bestellingen via e-commerce van goederen, diensten, reparaties, reserveonderdelen en onderhoud zullen een andere organisatie noodzakelijk maken dan die waarover multinationals momenteel beschikken. Het vergt ook een andere instelling, een ander management en uiteindelijk andere definities van bedrijfsresultaten. Zelfs de manier waarop die resultaten gemeten worden, zal veranderen.

In de meeste bedrijven worden bestellingen op dit moment gezien als een ondersteunende functie, een soort routine die door ondergeschikten kan worden uitgevoerd. Het is vanzelfsprekend, totdat er iets helemaal misgaat. In de wereld van e-commerce zal de bestelling juist het terrein zijn waarop een bedrijf zich werkelijk kan onderscheiden. De echte kernactiviteit. Snelheid, kwaliteit en flexibiliteit zouden ook daar waar merken van groot belang zijn, wel eens de doorslaggevende concurrentiefactor kunnen zijn. Momenteel is nog geen enkele multinational vanuit dat perspectief georganiseerd. Er zijn zelfs nog maar heel weinig bedrijven die op die manier denken.

De spoorwegen, een uitvinding die dateert van 1829, overwonnen afstanden. Dit verklaart waarom spoorwegen, meer dan welke andere uitvinding ook van de Industriële Revolutie, een vergaande invloed hadden op de arbeidsmarkt en de economie. Het nieuwe transportmiddel veranderde de denkwijze van de mens, zijn horizon en zijn mentale geografie.

E-commerce overbrugt niet alleen afstanden, hij elimineert ze. Er is geen enkele reden waarom de verkoper zich op een specifieke plek zou moeten bevinden. De klant weet doorgaans niet eens waar de e-commerceverkoper gevestigd is en het interesseert hem ook niet. De e-commerceverkoper op zijn beurt, bijvoorbeeld Aamazon.com, momenteel de grootste boekhandel ter wereld, weet evenmin waar de bestelling vandaan komt en het interesseert hem evenmin.

Als er elektronische informatie zoals software of aandelen wordt gekocht, bestaat het leveringsprobleem helemaal niet. Het product zelf is uiteindelijk alleen maar een bewerking in het computergeheugen. Het heeft wel een wettelijk maar geen fysiek bestaan. (Er bestaat echter een aanzienlijk belastingprobleem met dit soort handel. Dat zal de belastingautoriteiten in 2000 nog flinke hoofdbrekens kosten. De slimmere onder hen zullen zulke belastingen laten vallen, de anderen zullen allerlei onzinregels ter controle opstellen.)

Als er een boek gekocht wordt, is er geen leveringsprobleem. Boeken zijn gemakkelijk te vervoeren en hebben een hoge waarde/gewicht-ratio. Zonder moeite passeren ze de nationale grenzen en de douane. Een tractor echter moet bij de klant afgeleverd worden, en dat kan noch elektronisch noch via de pakketdienst.

Bezorging lijkt ook nodig voor kranten en tijdschriften, ofwel voor de dragers van gedrukte informatie. Tot op heden is nog geen succes geboekt met pogingen om een online editie te verkopen die gelezen moet worden op de computer van de abonnee of moet worden gedownload. Abonnees willen hun krant in de brievenbus krijgen.

Medische diagnoses en onderzoeksresultaten worden steeds vaker op internet gezet. Maar vrijwel alles wat te maken heeft met gezondheidszorg – van het onderzoek door de arts tot aan operatief ingrijpen, medicatie en revalidatie – moet worden geleverd op de plaats waar de patiënt zich bevindt. Hetzelfde geldt voor het verlenen van service, ongeacht of het een tastbaar product als een apparaat of een fiets betreft of iets ontastbaars als een banklening.

Auto's via e-mail

Tegenwoordig kan ieder bedrijf – en eigenlijk iedere organisatie – werkzaam zijn in elke markt. Het bedrijf hoeft zich niet feitelijk ergens te bevinden. Het moet in staat zijn om de aflevering te organiseren.

Een voorbeeld: een van de snelst groeiende bedrijven in de VS is momenteel een bedrijf dat via e-mail nieuwe personenauto's verkoopt: CarsDirect.com. Het bestaat pas sinds januari 1999 en is gevestigd in een voorstad van Los Angeles. CarsDirect.com was al in juli 1999 één van de twintig grootste autoverkopers van het land. Het was actief in veertig van de vijftig staten van de VS en verkocht iedere maand duizend auto's. Het heeft zijn succes niet te danken aan lagere prijzen, noch aan een bijzondere handigheid in het verkopen van auto's. Het bedrijf heeft op deze gebieden zelfs nog een achterstand vergeleken met al langer bestaande e-commerce autobedrijven als Autobytel.com en CarPoint.com. Maar CarsDirect heeft, anders dan zijn concurrenten, een uniek leveringssysteem opgezet. Het heeft overal in het land 1100 traditionele autodealers aangeschreven om de door CarsDirect verkochte wagens te leveren aan de plaatselijke koper. Deze dealers garanderen de levering op een bepaalde datum en een service die onder kwaliteitscontrole staat.

De levering is voor bedrijven die zich via e-mail presenteren minstens zo belangrijk als voor traditionele bedrijven. En alles wijst erop dat de e-commerce tussen bedrijven nog sneller groeit dan de detailhandel via e-commerce. Bovendien wordt het sneller grensoverschrijdend.

Voor het eerst in de geschiedenis van het bedrijfsleven worden verkoop en aankoop door e-commerce gescheiden. De verkoop is voltooid als de order ontvangen is en er betaald is. De aankoop is voltooid als de gekochte waar is afgeleverd, en eigenlijk pas als aan de behoefte van de koper is voldaan. Terwijl e-commerce om centralisatie vraagt, moet de levering volledig gedecentraliseerd worden. Die moet uiteindelijk lokaal zijn, gedetailleerd en accuraat.

Net zoals e-commerce een scheiding aanbrengt tussen verkoop

en aankoop, scheidt het ook de fabricage en de verkoop. Wat tot nu toe productie heette, wordt een soort levering. Er bestaat geen enkele reden waarom een e-commerce-initiatief zich zou moeten beperken tot de marketing en verkoop van de producten van één fabrikant.

Zowel Amazon.com als CarsDirect.com laat zien dat de grote kracht van e-commerce juist ligt bij het aanbieden van een hele reeks producten, ongeacht wie de fabrikant is. Binnen traditionele bedrijfsstructuren wordt de verkoop nog steeds beschouwd als iets dat ondergeschikt is aan de productie. Of men ziet er een kostencentrum in dat 'verkoopt wat we maken'. In de toekomst zullen e-commerce-bedrijven 'verkopen wat we kunnen leveren'.

(2000)

5

Van nieuwe economie is nog geen sprake

Veel nieuwe internetbedrijven moeten vechten om het hoofd boven water te houden. Wat doen zij verkeerd?

Ik denk niet dat ze iets verkeerd doen. Ze doen alleen helemaal niks goed. Het is zeer waarschijnlijk dat de tijd waarin je automatisch veel geld loskreeg door jezelf een internetdrijf te noemen voorbij is. Veel van deze beginnende internetbedrijven waren helemaal geen internetbedrijven. Het waren slechts beursgokken. Als er al een bedrijfsplan was, was dat bedoeld voor een beursgang of om gekocht te worden, niet om een bedrijf op te zetten. De hebzucht van de moderne topman staat me buitengewoon tegen.

Is het al te laat om uit de neerwaartse spiraal te raken?

Misschien wel. Durfkapitaal zal voor veel van hen steeds moeilijker te krijgen zijn. Vroeger heb ik eens gewerkt met een financiele man van de oude stempel. Volgens hem was ieder beginnend bedrijf dat beloofde binnen vijf jaar winst te maken puur bedrog;

Dit vraaggesprek werd afgenomen door James Daly, hoofdredacteur van het tijdschrift *Business 2.0*. Het vond plaats in het kantoor van de auteur in Claremont, Californië. De onderwerpen waren afkomstig van de auteur. De definitieve tekst is door de auteur geschreven op basis van een ruwe versie van het interview. Het interview verscheen op 12 augustus 2000 in *Business 2.0*.

iedere starter die binnen achttien maanden geen positieve kasstroom heeft, was evengoed bedrog. Vandaag de dag klinkt dat misschien wat al te conservatief. Het is geen probleem dat enkele internetstarters veel tijd nodig hebben om winstgevend te worden. Amazon.com is een typisch voorbeeld. Daar maak ik me geen zorgen over. Slechts heel weinig internetstarters zullen echter ooit een positieve kasstroom hebben. Dat is geen zakendoen.

Het argument van veel starters is dat zij gewoon iets kopen terwijl het goedkoop is. Dat wil zeggen dat ze veel geld uitgeven om bekend te worden en dat dat leidt tot marktaandeel en uiteindelijk tot winst.

Oké, maar je kunt het verwerven van naamsbekendheid alleen financieren als er een kasstroom is. Precies dezelfde argumenten werden in de jaren twintig naar voren gebracht, hoewel het begrip naamsbekendheid toen nog niet bestond. Marktaandeel was toen ook nog een onbekende term. Deze begrippen zijn nieuw, maar de illusies en de beloften zijn dat niet, en bij iedere *boom* keren ze terug. Het is opmerkelijk dat er een periode van tien jaar zit tussen de speculatieve *boom* en de werkelijke groei van de bedrijven. De eerste grote speculatie*boom* van onze moderne economie hield verband met de spoorwegen. De grote *boom* rond de spoorwegen in Engeland vanaf ongeveer 1830 leidde tot de ineenstorting van veel topbedrijven tien jaar later. Daarna begon de opbouw van het spoorwegnet pas goed. Hetzelfde gebeurde hier na de burgeroorlog. De *boom* had plaats vanaf ongeveer 1850, maar de opbouw en de winsten kwamen pas van de grond na de burgeroorlog, met de bouw van de transcontinentale spoorlijn.

Zit er nog altijd tien jaar tussen het begin en de daadwerkelijke opbouw? Denkt u dat het weer tien jaar zal duren voor we de echte kampioenen van de nieuwe economie zien opduiken?

Jazeker. Ieder nieuw bedrijf in een nieuwe bedrijfstak weet dat iedere cent die het uitgeeft moet terugkomen. Maar als je niet over een kasstroom beschikt, ben je afhankelijk van steeds grotere kapitaalinjecties. Als je er niet in slaagt naamsbekendheid te vertalen in marktaandeel, ben je eerder afhankelijk van de winst op de aandelenmarkten dan van bedrijfswinsten. En dat is buitengewoon riskant. Daardoor word je extreem kwetsbaar voor zelfs de kleinste koerscorrectie.

Als het waar is dat veel nieuwe internetbedrijven in feite een gok zijn op de aandelenmarkt, hoe staat het er dan voor met de traditionele bedrijven? Hoe doen die het online?

We hebben allemaal de snelheid waarmee bestaande bedrijven in staat zijn om zich aan te passen aan e-commerce en zelfs een leidinggevende positie te verwerven op dat gebied, zwaar onderschat. Ik zal een voorbeeld geven: vier jaar geleden zei ik tegen een van 's werelds grootste autofabrikanten dat ze online moesten gaan. Ze luisterden beleefd naar me. Dat betekent zo ongeveer dat ik niet werd gestenigd. Maar ze dachten dat ik stapelgek was. Nu heeft ditzelfde bedrijf op internet een aankoopcollectief geformeerd en werkt het samen met minstens twee en waarschijnlijk wel vier of vijf andere grote autofabrikanten. Dit aankoopcollectief wil zich ontwikkelen tot een wereldomspannend veilingsysteem. Daar wordt nu al vier jaar hard aan gewerkt. Het collectief richt zich nog alleen op hun eigen merken in plaats van heel veel merken aan te bieden zoals de echte dot-commers doen. Beide partijen moeten nog veel van elkaar leren.

Hoe belangrijk is het om als onderneming diverse merken te voeren?

Dat is van doorslaggevend belang. Stel je bent Ford en je gaat het internet op, dan verkoop je Ford-auto's aan Ford-dealers. Als je echter een dot.combedrijf bent, verkoop je ieder merk en zoek je daar de verkoper bij. Dat geeft de dot-coms een enorme voorsprong, tenminste zolang als het duurt. Ik weet niet welke van de grote autofabrikanten als eerste zal beseffen dat hij dankzij zijn marketingkwaliteiten in staat is om alle merken te verkopen, en zeker de merken waarvan niet zo veel auto's verkocht worden. Voor zover ik weet werken ze daar allemaal aan. Wacht nog maar eens een half jaar. Ze ondervinden in dit opzicht intern ernstige problemen, zowel met hun verkopers als met hun eigen mensen. Dat moeten ze eerst afhandelen.

Zijn er nieuwe criteria voor succes voor een internetbedrijf?

Daar vraag je meer dan ik kan beantwoorden. Heel wat meer. Maar ik vraag me af of die criteria erg zullen afwijken van de traditionele criteria. Er bestaat een oude theorie over de waardering van aandelen. Die beschouwt de toekomstige winst als een maatstaf voor de waarde van een aandeel. Daar is veel voor te zeggen. En het werkt ook goed als het om tamelijk lange perioden gaat. Het is bovendien toepasbaar op de internet-*boom*, waar de waardering is gebaseerd op de verwachtingen van toekomstige winst. Als de schulden afnemen, worden de verwachtingen van toekomstige verdiensten belangrijker, en gevestigde bedrijven – en niet noodzakelijk alleen grote bedrijven – hebben een enorm voordeel, omdat hun kapitaalkosten zoveel lager zijn. Als je kapitaalkosten zijn gebaseerd op enorme beurswinsten, zijn die kosten zeer hoog als de verwachtingen afnemen. Niettemin geloof ik dat we die nieuwe economie heel hard nodig hebben.

Wat zijn voor u de belangrijkste cijfers als we de waarde van een internetbedrijf willen schatten?

Wat ik denk, doet er niet toe. Wat er wel toe doet, is dat toekomstige investeerders op een heel andere manier naar deze bedrijven zullen kijken. Dat is zo klaar als een klontje.

Hoe denkt u dat het bedrijf van de toekomst eruit zal zien?

Welk bedrijf? Welk soort bedrijf? Het is heel interessant om te zien dat de invloed van internet op non-profitorganisaties en het hoger onderwijs wel eens veel groter zou kunnen zijn dan op marktgerichte ondernemingen. De kosten van je basisgrondstof, namelijk denkkracht, gaan snel omhoog. Die is heel duur geworden. Technisch vaardige en innovatieve mensen zijn ongelooflijk duur geworden. Ze kunnen krijgen wat ze willen als ze zelfstandig contracten afsluiten en niet bij een van de grote bedrijven in dienst treden. Opties op aandelen veranderen daar niets aan.

De invloed van internet zal vrijwel zeker het grootst zijn op het hoger onderwijs. De gemiddelde kenniswerker is een langer leven beschoren dan het gemiddelde commerciële bedrijf. Dat is voor het eerst in de geschiedenis. Je moet tegenwoordig over veel kennis beschikken en duidelijk weten wat je wil. Vandaar dat het epicentrum van het hoger onderwijs al verschuift van de scholing van de jeugd naar de permanente scholing van volwassenen. Vroeger veranderden de vaardigheden die je in bedrijven nodig had maar heel langzaam. Mijn achternaam Drucker is afkomstig uit het Nederlands. Mijn voorouders waren drukkers in Amsterdam tussen 1510 en 1750. Gedurende al die tijd hoefden ze nauwelijks iets nieuws te leren. De fundamentele vernieuwingen in het drukkersvak van voor de negentiende eeuw waren al in het begin van de zestiende eeuw geïntroduceerd. De vader van Socrates was steenhouwer. Als hij nu weer tot leven zou komen en bij een steenhouwerij zou gaan werken, zou hij na een uur of zes weer helemaal bij zijn. De gereedschappen noch de producten zijn veranderd.

Zal de aanhoudende vraag naar permanente educatie de structuur van ondernemingen beïnvloeden?

Dat is vrijwel zeker. De onderneming zoals wij die kennen dateert van zo'n honderdtwintig jaar geleden en zal de komende vijfentwintig jaar waarschijnlijk niet overleven. Wel juridisch en financieel, maar niet structureel en economisch.

De huidige onderneming is opgezet rond managementniveaus. De meeste van deze niveaus vormen transportleidingen voor informatie, en net als alle verbindingen zijn ze van zeer bedenkelijke kwaliteit. Telkens als er informatie wordt overgedragen, wordt de boodschap gehalveerd. In de toekomst mogen er nog maar weinig managementniveaus zijn. De mensen die de informatie doorgeven, zullen heel slim moeten zijn. Maar zoals je weet, veroudert kennis vaak ongelooflijk snel. De voortgaande professionalisering van volwassenen zal in de volgende dertig jaar de grootste groei-industrie zijn, maar dat zal niet langs de bekende wegen verlopen. Binnen vijf jaar zullen we de meeste trainingsprogramma's voor managers online aanbieden. Internet combineert de voordelen van het klaslokaal en het boek. In een boek kun je bladzijde 16 nog een keer opzoeken. In een klaslokaal kan dat niet, maar daar heb je weer de fysieke aanwezigheid. Internet biedt beide.

Enkele jaren geleden hebt u in verband met innovatie eens vijf voorwaarden en drie verboden opgesteld. Als u dat nu weer zou doen, hoe zouden ze er dan uitzien?

Tegenwoordig heb je een organisatie nodig die zich niet alleen vernieuwt, maar ook leiding geeft aan verandering. Vijf jaar geleden werd er enorm veel gepubliceerd over creativiteit. Creativiteit is meestal een kwestie van hard en systematisch werken. Vijftien jaar geleden wilde ieder bedrijf innovatief zijn, maar alleen mensen die zelf veranderingen bewerkstelligen beschikken over de juiste, innovatieve instelling. Innovatie vraagt om een systematische aanpak. Innovatie is bovendien erg onvoorspelbaar. Je zult wel een rits in je broek hebben, niet?

Inderdaad.

En geen knopen?

Geen knopen.

De uitvinding van de rits is een vreemd verhaal. De rits kon onmogelijk een succes worden in de kledingindustrie. De uitvinding was bedoeld om in de haven grote balen zwaar materiaal zoals graan te sluiten. Niemand dacht aan kleding. De markt bleek helemaal niet daar te liggen waar de uitvinder had gedacht. En zo gaat het iedere keer weer. De eerste grote oorlog na de Napoleontische oorlogen was de Krimoorlog van 1854. Die bracht verschrikkelijke verwondingen met zich mee. Dat maakte het nodig een verdovend middel te ontwikkelen dat gebruikt kon worden op het slagveld. Een van de eerste kandidaten daarvoor was cocaïne. Men ging ervan uit dat het niet verslavend was en iedereen ging het gebruiken, zelfs Sigmund Freud. Maar het was wel verslavend en men moest ermee stoppen. Rond 1905 vond een Duitser het eerste niet-verslavende verdovingsmiddel uit: novocaïne. De uitvinder wijdde zijn laatste twintig levensjaren aan een poging om het gebruik ervan te propageren. Maar door wie werd het gebruikt? Door tandheelkundestudenten. De uitvinder kon niet geloven dat zijn nobele uitvinding gebruikt werd voor zoiets banaals als het vullen van kiezen. Zo zie je dat de markt zich zelden daar bevindt waar de uitvinder hem vermoedt.

Slechts 10 tot 15 procent van alle innovaties beantwoordt aan de verlangens van de vernieuwer. Nog eens 15, 20 of 30 procent is dan wel geen ramp, maar evenmin succesvol. Vijf jaar later zullen ze zeggen dat het best aardig was, begrijp je wel? Het houdt in dat je het in een bankbiljet moet verpakken om het kwijt te raken. Zo'n 60 procent brengt het niet verder dan een voetnoot. Timing is heel belangrijk. Het komt ook voor dat een uitvinding geen succes heeft, en tien jaar later doet een ander precies hetzelfde. Die geeft er een draai aan en dan lukt het wel. Soms is de strategie belangrijker dan de innovatie zelf. Het probleem is dat je maar zelden een tweede kans krijgt.

Gelooft u dat een organisatie zich zou moeten bezighouden met de zogenaamde creatieve destructie zoals die beschreven wordt door Clayton M. Christensen in The Innovator's Dilemma?

Beslist. Maar dat vraagt om een doorlopend proces en dat moet georganiseerd worden. Een voorbeeld. Ik heb bij een tamelijk groot bedrijf gewerkt. Wereldwijd marktleider op specialistisch terrein. Iedere drie maanden komt een groep mensen van de organisatie – jonge mensen, nieuwe mensen, maar nooit dezelfde – bij elkaar om te kijken naar een segment van de producten, de diensten, een proces of wat dan ook. Steeds is de vraag: als we dit nog niet zouden doen, zouden we er dan nog op dezelfde manier mee beginnen? En als het antwoord 'nee' is, is de volgende vraag: wat zouden we dan doen? Iedere vier of vijf jaar stopt het bedrijf structureel met een deel van zijn producten, processen of diensten of brengt er op zijn minst wijzigingen in aan. Dat is het geheim van de groei en de winstgevendheid van het bedrijf.

Een bedrijf zou in staat moeten zijn om zaken die niet functioneren weg te snijden. Het menselijk lichaam doet dat uit zichzelf. Binnen ondernemingen bestaat daar een enorme weerstand tegen. Ergens afstand van nemen is verre van gemakkelijk, en je moet de eventuele effecten ook niet onderschatten. Het heeft ontzettend veel invloed op de instelling van mensen en de organisatie. Soms ontstaat uit een zogenaamde verbetering een nieuw product. Bij de mensen en bedrijven waarmee ik bekend ben bestaat 70 procent van de vernieuwingen uit een kleine wijziging van het bestaande. Het beste voorbeeld dat ik ken is waarschijnlijk GE Medical Electronics. Ze zijn wereldwijd marktleider, maar van hun producten zijn er maar weinig aan innovatie te danken. De meeste zijn het resultaat van verbeteringen.

Wat is uw mening over de antimonopolierechtzaak tegen Microsoft?

Monopolies vormen een obsessie voor Amerikaanse advocaten, maar ik kan er niets mee. Het is waar dat een monopolie de markt afschermt voor nieuwkomers, maar ik ben niet zo bang voor monopolies, omdat ze uiteindelijk ten onder gaan. Thucydides schreef eeuwen geleden dat alleenheerschappij zichzelf vernietigt. Een alleenheerser wordt altijd arrogant, wordt altijd verwaand. En jaagt de rest van de wereld tegen zich in het harnas. Een almachtig systeem is buitengewoon zelfdestructief. Het wordt defensief, arrogant en verheerlijkt het verleden. Het vernietigt zichzelf. Vandaar dat een monopolie geen lang leven beschoren is.

Het beste dat een monopolist kan overkomen is dat het monopolie opgebroken wordt. Als IBM niet gedwongen was om de ponskaart op te geven, zou het nooit een computerreus zijn geworden. Het beste wat de Rockefellers ooit overkwam was dat ze opgesplitst werden. De Rockefellers waren verknocht aan kerosine. Benzine vonden ze maar een gril. Tegen de tijd dat Standard Oil werd opgesplitst, ging het al achteruit. Nieuwe bedrijven zoals Texaco, die zich richtten op de groeiende automarkt, gingen met sprongen vooruit. Vijf jaar later was het fortuin van de Rockefellers het vijfvoudige van vóór de opsplitsing.

Daarom denk ik dat een opsplitsing in verschillende bedrijven het beste is wat Microsoft zou kunnen overkomen. Bill Gates zal het wel niet met me eens zijn, maar dat was Rockefeller ook niet. Hij bleef tot het laatst vechten tegen de opsplitsing van Standard Oil. AT&T bleef vechten tot duidelijk werd dat het een verloren zaak was. Precies hetzelfde overkwam IBM en de oude Watson. Ik bedoel niet de man die IBM opzette, maar zijn vader. Die heb ik heel goed gekend. Hij had al in 1929 een idee van de computer, maar toen die zijn ponskaart bedreigde, deed hij er alles aan om de computer om zeep te brengen. De antimonopolierechtzaak stelde zijn zoons in staat om de oude heer aan de kant te schuiven. Dat waren cliënten, vrienden van mij.

Een van de meest invloedrijke boeken die u schreef was The Age of Discontinuity. *Als u dat in deze tijd van snelle veranderingen zou herzien, wat zou u dan schrijven?*

Dat weet ik niet omdat ik het boek al dertig jaar niet gelezen heb. Ik herlees mijn oude boeken niet, ik schrijf nieuwe. Maar ik zou meer nadruk leggen op de demografie en nog veel meer op globalisering. Ik zou de aandacht vestigen op internet en vooral op on-linecommunicatie tussen bedrijven. Hoe de nieuwe economie of de nieuwe samenleving eruit zal zien, valt nu nog niet te zeggen. Maar bepaalde trends kun je wel onderscheiden, en ik denk dat sommige dingen wel te voorzien zijn. De laatste veertig of vijftig jaar was de economie overheersend. De komende twintig of dertig jaar zullen gedomineerd worden door sociale problemen. Deze sociale problemen zullen ontstaan door de snelle vergrijzing en het snel afnemende aantal jongeren.

Door technische verbeteringen zal de productie exponentieel groeien, maar de werkgelegenheid in die sector zal verdwijnen. Het aandeel van de arbeid en de productie in het BNP neemt af. Na de Tweede Wereldoorlog was nog 25 procent van de werkgelegenheid te vinden in de landbouw en was die sector nog goed voor 20 procent van het BNP. Nu zijn die cijfers respectievelijk 3 en 5 procent. Met de productie gaat het dezelfde kant op, al is de daling daar misschien niet zo sterk. Als je de prijzen van productiegoederen vertaalt in stabiele dollars, zijn die sinds 1960 jaarlijks met minstens 1 of 2 procent gedaald.

Hoe valt er in deze tijd van grootscheepse veranderingen nog succesvol te managen?

Voor een manager is het heel verleidelijk om zich te beperken tot de korte termijn, maar dat is ook heel gevaarlijk. Een van de dingen die managers zullen moeten leren, en er zijn er nog niet veel die dat nu al kunnen, is een evenwicht te vinden tussen de korte en de lange termijn. Ik vind dat Jack Welch van General Electrics iets unieks heeft gepresteerd. Hij heeft het instrumentarium ontwikkeld om op korte termijn de financiën in de gaten te kunnen houden – en dan denk ik eerder aan drie jaar dan aan zes maanden – maar hij heeft ook de ontwikkeling van mensen op lange termijn benadrukt. Je zou het een soort strategie kunnen noemen. Het bedrijf heeft hier eigenlijk weinig problemen mee gehad omdat GE in de jaren twintig al een heldere, moderne strategie had ontwikkeld. In de jaren dertig was het een van de eerste bedrijven dat een personeelsstrategie ontwikkelde. Dit zijn dus allemaal tradities binnen GE. Jack Welch heeft ervoor gezorgd dat dit evenwicht binnen zijn bedrijf hoog genoteerd kwam te staan. Iedere maand ontvangt hij rapporten over elk van zijn 167 bedrijfsonderdelen, maar hij begint zeven jaar van tevoren in mensen te investeren.

Hoe zorg je ervoor dat overgang een voordeel wordt?

Door naar iedere verandering te kijken, door te zorgen dat je niets ontgaat. En door je af te vragen: Biedt dit ons een kans? Is dit een echte vernieuwing of alleen maar een modegril? Het verschil is heel eenvoudig: een verandering is iets wat mensen doen en een gril is iets waar mensen over praten. Veel gepraat is louter modieus. Een oude vriend van mij heeft een belangrijke functie bij een grote organisatie. Ik geloof dat hij ervan beschuldigd werd nooit iets te veranderen. Zijn organisatie doet het echt heel goed. Hij zei dat het goedkoper was om een boek over verandering aan te schaffen dan om iets te veranderen. Je moet je ook afvragen of veranderingen een kans vormen of een bedreiging. Als je van meet af aan in iedere verandering een bedreiging ziet, zul je nooit innoveren. Je moet iets niet afwijzen louter en alleen omdat je het niet gepland had. Het onverwachte is vaak de beste bron voor iets nieuws.

Je moet bedenken dat veel transformaties voor een bepaald bedrijf zinloos kunnen zijn. Wat voor de een buitengewoon zinnig is, is dat voor een ander totaal niet. Het verandert je markt niet, het verandert je klanten niet en het verandert je technologie niet. Voor het overgrote deel zijn het onderwerpen waarover op conferenties wordt gesproken. Aan het meeste heb je helemaal niets. Je kunt over veranderingen natuurlijk ook lezen. Kom ik iets interessants tegen, dan geef ik het door aan mijn medewerkers, zodat ze het kunnen bespreken. En misschien dat ik er over vijf jaar nog eens aan terugdenk en er dan iets mee doe. Zo gaat het deel uitmaken van je instrumentarium. Daarom moet je alles in de gaten houden.

Wat is volgens u de toekomst van het zakendoen op internet?

Ik denk dat het nog veel te vroeg is om te speculeren over e-commerce. Je weet nooit hoe een nieuw distributiekanaal datgene wat gedistribueerd wordt zal veranderen. Evenmin weet je hoe de voorkeuren van je klanten zullen veranderen. Als e-commerce maar een betrekkelijk klein deel van de totale consumentenmarkt overneemt (maar het zou ook heel goed een tamelijk groot deel kunnen zijn), zal het een diepgaande invloed hebben en zullen de bestaande distributiekanalen radicaal veranderen.

Volgens mij is de kans groot dat e-commerce gebruikt zal worden voor de verkoop en dat de aflevering op een bepaalde locatie plaatsvindt. Iets dergelijks ontwikkelt zich in Japan al in hoog tempo. Ito-Yokada is waarschijnlijk de grootste hedendaagse detaillist. Dat bedrijf is eigenaar van de Japanse 7-Eleven-winkels. Daarvan zijn er in heel Japan 10.000. Zij hebben in toenemende mate afspraken met allerhande leveranciers. Klanten doen hun inkopen online en kunnen hun bestelling bij de dichtstbijzijnde 7-Eleven afhalen. Want een centraal probleem van e-commerce is de bezorging.

De bezorging moet plaatselijk geschieden. Dat is tamelijk eenvoudig als je boeken verkoopt. De waarde per gewicht van een boek is bijzonder hoog. Afgezien van diamanten is die bij geen enkel product zo hoog. Het vervoer verloopt probleemloos en boeken kunnen weliswaar beschadigd worden, maar het zijn toch vrij stevige artikelen. Over de hele wereld worden de transportkosten van boeken kunstmatig laag gehouden. Dat komt door de forse subsidies. Waarschijnlijk kost het het postkantoor in de VS vier maal zoveel als wat het in rekening brengt. Boeken zijn dus in dat opzicht eenvoudig, maar tractoren vormen een heel ander verhaal. Met bederfelijke waren is het helemaal treurig. Vandaar dat het me zeer waarschijnlijk lijkt dat er een systeem ontstaat waarbij de verkoop online plaatsvindt en de bezorging op een bepaalde locatie gebeurt. Bij de Japanse 7-Elevens is het online afhaalsysteem al goed voor 40 procent van de totale omzet. De 7-Elevens krijgen een kleine provisie, maar kosten hebben ze niet. Het is puur extra.

Andere veranderingen kunnen ook diep ingrijpen. We zien nu dat voor de eerste keer in de geschiedenis verkoop, productie en bezorging van elkaar gescheiden worden. Het centrum van de macht is al vijftig jaar aan het opschuiven richting distributie. De snelheid van die verschuiving is inmiddels sterk toegenomen. Hoeveel productiebedrijven er zullen overleven? Niet zoveel. Tot nu toe heeft de distributeur niets gedaan met die macht. De distributeurs hebben hun merken, maar er zijn maar weinig grote fabrikanten met merken die in de consumentenmarkt een stevige voet aan de grond hebben.

Er zullen aparte bedrijven ontstaan voor het ontwerpen van producten, de fabricage, de marketing en de service. Misschien is het nog steeds dezelfde eigenaar die de financiële controle uitvoert, maar in wezen zullen deze bedrijven bestuurd worden als afzonderlijke ondernemingen. Ford wordt beschouwd als een productiebedrijf, maar het produceert maar heel weinig. Het bedrijf assembleert. En dat betekent een radicale breuk met het idee van massaproductie. Zoals je ziet gaan de veranderingen heel ver, zijn ze fundamenteel en zullen ze lang duren. We hebben nog maar een vaag idee van wat het allemaal betekent.

(2000)

6

De ceo in het nieuwe millennium

We herinneren ons allemaal nog wel dat er enkele jaren geleden veel gesproken werd over het einde van de hiërarchie. We zouden allemaal één grote gelukkige bemanning worden, varend op hetzelfde schip. Goed, dat is niet gebeurd en het zal ook niet gebeuren, om een simpele reden: als een schip ten onder gaat, roep je geen vergadering bijeen maar geef je een bevel. Er moet iemand zijn die zegt: 'Genoeg getreuzeld, zo doen we het.' Zonder iemand die besluiten neemt kom je nooit tot een besluit. Bovendien moeten we, naarmate de organisatie van onze bedrijven steeds complexer wordt – technologisch, economisch en sociaal – juist weten bij wie het uiteindelijke gezag berust. Dus in plaats van het verdwijnen of het uitkleden van het topmanagement te bespreken, wil ik mijn aandacht vestigen op de nieuwe eisen waaraan het zal moeten voldoen.

Als we de positie van de ceo gedurende de afgelopen vijftien jaar overzien, zijn er volgens mij vijf punten die eruit springen. Deze punten staan op zichzelf, maar ze hebben wel met elkaar te maken. Waar gaat het om en hoe zullen ze precies de carrière van een manager beïnvloeden?

De transformatie van het bestuur

Ik ben er absoluut zeker van dat over vijftien jaar het bestuur van grote bedrijven wezenlijk anders zal zijn dan nu. De reden is dat er een fundamentele verandering plaatsvindt in de eigendomsverhoudingen van deze ondernemingen, en zo'n verandering gaat altijd gepaard met veranderingen in het besturen van bedrijven.

Zeker in ontwikkelde landen zijn het tegenwoordig vooral financiële overwegingen waarop eigenaren letten bij het behartigen van hun belangen. Laten we eens naar onze bevolking kijken. De bevolking van de Verenigde Staten vergrijst en wordt steeds ouder. Daardoor stijgt het aantal mensen dat zich zorgen maakt over zijn toekomstige financiële positie. Dat betekent weer dat de vraag hoe en waar pensioenfondsen hebben geïnvesteerd steeds belangrijker wordt. Kwesties als deze laten bedrijfseigenaren zeker niet onverschillig. Onder de nieuwe verhoudingen heeft de institutionele belegger een beslissende stem en ik denk niet dat dat snel zal veranderen.

Wat betekent dit voor het bestuur van een onderneming en voor de ceo? Het is een enorme uitdaging om de nieuwe eigenaren te scholen. Veel van hen zijn, zoals ik al eerder heb opgemerkt, mensen uit de financiële hoek. Ooit werkte ik als beleggingsanalist. Ik durf gerust te zeggen dat het zo goed als onmogelijk is om een financieel deskundige duidelijk te maken wat het betekent leiding te geven aan een bedrijf. Dat meen ik serieus. Financiële mensen staan mijlenver af van de vraag hoe je een evenwicht zoekt tussen vaak conflicterende elementen: korte versus lange termijn, continuïteit versus verandering, het verbeteren van het heden versus het creëren van mogelijkheden in de toekomst. Managers die iedere dag met deze problemen worstelen weten met hoeveel strijd dit gepaard gaat, maar voor financiële mensen is het heel moeilijk te bevatten. Natuurlijk hebben de nieuwe eigenaren hun eigen problemen. Niet de minste daarvan zijn het Amerikaanse pensioensysteem en de vraag hoe de bedrijfswinsten kunnen worden opgevoerd.

Een van de meest wezenlijke taken die op ceo's ligt te wachten, is het doordenken van dit alles in relatie tot hun eigen bedrijf. Zij dienen tussen deze uitersten een redelijk evenwicht aan te brengen. Topmanagers die hiermee ervaring hebben, zijn doorgaans van mening dat ze vrij goed aanvoelen wat er moet gebeuren, ook al is dat vaak niet gemakkelijk te realiseren en al maken ze daarbij misschien fouten. Maar de grootste fout die je kunt maken is het negeren van de vraag hoe bedrijven bestuurd moeten worden. Veel mensen die ik ken doen dat. Ze verbergen zich achter een misleidende slogan als: 'Wij zijn hier de baas en het belang van de aandeelhouder staat voorop.'

Ik denk dat die benadering zijn langste tijd gehad heeft. Topmanagers moeten accepteren dat zij zich niet kunnen laten leiden door de belangen van de aandeelhouder zoals die weerspiegeld worden in de Dow Jones van gisteren. De komende vijftien jaar zullen niet alleen het bedrijfsbestuur maar ook daaraan gekoppelde concepten en instrumenten herzien en getransformeerd moeten worden. En dat geldt niet alleen voor de Verenigde Staten. Nergens ter wereld kan men momenteel beweren dat men succesvol weet leiding te geven aan grote ondernemingen. Het lukt niet meer in Duitsland en het lukt niet meer in Japan. De eigendomsstructuur is veranderd: fundamenteel, ingrijpend, voorgoed en overal. Veel managers zijn al begonnen het bestuursprobleem aan te pakken. Ze hebben gemerkt dat het niet gemakkelijk is, maar ook niet onmogelijk. De managers die deze uitdaging nog niet onder ogen hebben gezien, zullen merken dat ze dat het komende decennium alsnog zullen moeten doen.

Heroriëntatie ten aanzien van informatie

Er is al vaak gezegd dat we een Informatierevolutie beleven, en dat is ook echt zo. Zo'n veertig jaar geleden, toen de computer ten tonele verscheen, zagen de meeste mensen er een buitengewoon snelle rekenmachine in. Een enkeling zag er een nieuwe manier in om informatie te verwerken. We kwamen tot het inzicht dat nieuwe informatie binnen twintig of dertig jaar de taak om leiding te geven aan een bedrijf totaal zou veranderen.

Tot op heden hebben de nieuwe manieren om met informatie om te gaan echter vrijwel geen invloed gehad op onze wijze van leidinggeven aan bedrijven. Wat wel enorm veranderd is, is de manier waarop dingen gedaan worden. Twee voorbeelden. Mijn kleinzoon, die bezig is met de afronding van zijn architectuurstudie, liet me onlangs de software zien die hij gebruikt voor zijn afstudeerproject. Het betreft een project van een groot architectenbureau. Dat bureau kreeg de opdracht een ontwerp te maken voor de verwarming, de verlichting en de watervoorziening van een nieuwe gevangenis. Die software kan werkelijk in een oogopslag doen waarvoor ooit honderden individuen nodig waren. Tegelijkertijd worden bij medische opleidingen en in ziekenhuizen virtual-realitypresentaties gebruikt als nieuwe, effectieve manier om chirurgen te trainen. Tot nu toe was het zo dat chirurgen vóór hun laatste opleidingsjaar geen enkele operatie meemaakten. Ze zagen alleen de rug van de chirurg die de operatie uitvoerde. Vandaag de dag kunnen jonge chirurgen eindelijk datgene doen wat essentieel is voor het leren van chirurgische technieken: oefenen. Dankzij virtual reality kan dat zonder het welzijn van patiënten in gevaar te brengen.

Binnen bedrijven heeft informatietechnologie al een duidelijke invloed gehad, maar tot nu toe is die invloed beperkt gebleven tot concrete elementen. Ongrijpbare zaken als strategie en innovatie bleven buiten schot. Zodoende heeft nieuwe informatie weinig invloed gehad op de manier waarop de ceo beslissingen neemt. Dat zal moeten veranderen.

Laten we eens twee posities bekijken waarmee de meeste ceo's bekend zijn. Tegenwoordig heeft vrijwel ieder bedrijf een cfo aan wie de afdeling Boekhouding verslag uitbrengt. Dit is ons oudste informatiesysteem; in tal van opzichten is het verouderd, maar bedrijven houden vast aan deze wijze van boekhouding omdat ze die begrijpen: het is vertrouwd. Veel bedrijven hebben ook een beheerder aangesteld voor het managementinformatiesysteem, of een cio die leiding geeft aan een computersysteem dat doorgaans enorm duur is.

Maar geen van deze leidinggevenden weet ook maar iets af van informatie. Ze weten wat data zijn, maar binnen vijftien jaar zal er veel veranderd zijn. Ze zullen door dezelfde manager worden aangestuurd. De komende veranderingen op boekhoudkundig terrein zijn de meest substantiële sinds die van de jaren twintig van de twintigste eeuw. Daarbij horen *activity-based accounting* en *economic-chain accounting*. In wezen wordt het boekhoudsysteem aangepast aan de huidige economische realiteit. Dit wordt gecombineerd met onze dataverwerkingscapaciteit, zodat het informatiesysteem er totaal anders gaat uitzien. Toch zal ook dan de ceo nog niet over de informatie beschikken waaraan hij of zij het meest behoefte aan heeft. Want wat gebeurt er buiten de onderneming?

We weten werkelijk niets over de buitenwereld, maar niettemin zijn verreweg de meeste mensen die jouw product of dienst aanschaffen niet je klanten. Dat geldt zelfs als je marktleider bent in je bedrijfstak. Als je 30 procent van de markt in handen hebt, ben je al een reus, maar dat betekent wel dat 70 procent van de consumenten jouw product of dienst niet aanschaft. Van die mensen weten we niets.

Kopers die geen klanten zijn, zijn met name belangrijk omdat zij een bron van informatie vormen die je kan helpen om te gaan met de veranderingen die de bedrijfstak zullen beïnvloeden. Waarom? Als je kijkt naar de veranderingen in belangrijke bedrijven gedurende de afgelopen veertig jaar, zul je zien dat die vrijwel allemaal ontstaan zijn buiten de bestaande markt, het product of de technologie. Ongeacht om welke bedrijfstak het gaat, de hogere leidinggevenden zullen meer tijd buiten hun eigen zaak moeten doorbrengen. Het lijdt geen twijfel dat het allesbehalve gemakkelijk is om degenen die geen klant bij je zijn te leren kennen, maar het is werkelijk de enige manier om je kennis uit te breiden. Onder de mensen die ik ken zijn er die succes hebben gehad met het opzetten van hun bedrijf in Japan. Zij hebben zich ingespannen om de Japanse geschiedenis te bestuderen voor ze ermee in contact kwamen. Hier in de Verenigde Staten zijn we gelukkig vertrouwd met culturele diversiteit; dat kapitaal zouden we in ons voordeel moeten aanwenden.

In de negentiende eeuw kon je ervan uitgaan dat iedere belangrijke bedrijfstak verbonden was aan een specifieke technologie en dat technologieën van verschillende bedrijfstakken elkaar nooit zouden beïnvloeden. Deze aanname ligt ten grondslag aan alle grote bedrijfslaboratoria, om te beginnen dat van Siemens dat dateert van 1869. Maar die veronderstelling gaat niet langer op. Technologieën springen nu over van het ene naar het andere bedrijf en productiviteit is geen garantie meer voor succes. De afgelopen dertig jaar zijn de Bell Laboratories productiever geweest dan ooit tevoren, maar wat hebben ze in die tijd gepresteerd als het gaat om belangrijke technologische doorbraken?

Het lijdt geen twijfel dat bedrijven dienen te begrijpen wat er omgaat buiten hun eigen kring. Tot nu toe is daarover vrijwel geen informatie beschikbaar, en het weinige wat er wel is, is op zijn best anekdotisch. We beginnen nu pas te begrijpen hoe we deze informatie moeten kwantificeren. Als iemand claimt dat hij dit al gedaan heeft, weet ik zeker dat hij de boel beduvelt.

Command & control

Een andere factor staat hiermee direct in verband. Steeds minder werk wordt op de traditionele manier gedaan. Bedrijven, en zeker de grote, doen er alles aan om zoveel mogelijk zaken die hun aangaan te beheersen. De veranderingen op dit gebied kunnen me niet altijd bekoren. Mensen praten op een ongrijpbare manier over het verdwijnen van *command and control.* Maar wat gebeurt er nu eigenlijk? Een groeiend aantal bedrijven werkt met contracten en zet uitzendkrachten in. Het aantal joint ventures groeit en steeds vaker worden activiteiten uitbesteed. Op die manier ontstaan nieuwe relaties. Veel van de mensen die voor een bedrijf werken zijn waarschijnlijk niet bij dat bedrijf in dienst, en volgens een van de voorspellingen die ik heb gehoord zal binnen een paar jaar het aantal mensen dat niet in dienst is bij de organisatie voor wie ze werken, het aantal mensen met een vast dienstverband ruimschoots overtreffen. Dat geldt ook voor de overheid.

Een van de signalen hiervoor is de explosieve groei van adviseurs, zoals de management-consultant. Ooit heb ik *Harvard Business*

Review een artikel beloofd over de management-consultant, een soort handleiding voor gebruikers (iets waaraan ceo's veel behoefte hebben). Ik kon die belofte niet nakomen. Er gebeurt gewoon veel te veel. Volgens mij betekent dit dat een steeds groter deel van de input die we nodig hebben niet zal komen van mensen of organisaties waarover we zeggenschap hebben, maar van mensen en organisaties waarmee we een band hebben, partners. Van mensen dus die we geen bevelen kunnen geven.

Succesvolle deelnemers aan joint ventures begrijpen dat je een partner geen bevel kunt geven. Werken met een partner is in wezen een marketingtaak, en dat betekent dat je allerlei vragen moet stellen. Wat zijn de normen en waarden van de andere partij? Zijn doeleinden? Verwachtingen? Maar natuurlijk zijn er momenten waarop een bevel essentieel is om iets gedaan te krijgen. De ceo van morgen zal moeten kunnen begrijpen wanneer hij moet bevelen en wanneer hij een partner moet zijn. Helemaal zonder precedent is dit niet – G.P. Morgan zette twaalf mensen als partners bij elkaar, maar hij wist desondanks heel goed wanneer hij de rol van leider op zich moest nemen – maar het zal zeker niet zonder slag of stoot gaan.

De opkomst van kenniswerk

Welke voorsprong zal een ontwikkeld land in de nabije toekomst nog hebben? Een van de dingen die we geleerd hebben – ten dele door onze ervaring met twee wereldoorlogen – is hoe we mensen op heel korte termijn moeten opleiden.

Kort na het einde van de Koreaanse oorlog werd ik naar Korea gestuurd. Het land was veel zwaarder verwoest dan Duitsland of Japan in de Tweede Wereldoorlog. Bovendien hadden de Japanse bezetters in de vijftig jaar die voorafgingen aan de oorlog iedere vorm van hoger onderwijs verboden. Desondanks nam het, dankzij de juiste steun en training, minder dan tien jaar in beslag om een agrarische en eigenlijk primitieve beroepsbevolking te transformeren in een zeer productieve natie.

We kunnen niet langer vertrouwen op het concurrentievoordeel van kennis. Technologie verplaatst zich ongelooflijk snel. Het enige werkelijke voordeel waarover de Verenigde Staten beschikt, wellicht voor de komende dertig of veertig jaar, is een substantieel aanbod van kenniswerkers. Zoiets stamp je niet zomaar uit de grond. In de Verenigde Staten wonen 12 miljoen *college*-studenten. In China worden de topstudenten buitengewoon goed opgeleid, maar het land telt maar 1,5 miljoen *college*-studenten op een bevolking van 1,2 miljard. Als we dezelfde verhouding in de Verenigde Staten zouden hebben, zouden we er slechts 250.000 hebben. Misschien hebben wij er een paar te veel – vooral aan de juridische kant – maar de productiviteit van kenniswerk en kenniswerkers is aantoonbaar. Het probleem is dat we het niet systematisch hebben aangepakt.

Moderne kenniswerkers zijn waarschijnlijk minder productief dan hun voorgangers. Hun agenda's zitten boordevol activiteiten die met hun training of talent niets hebben uit te staan. De best opgeleide mensen ter wereld zijn Amerikaanse verpleegsters. Kijken we echter naar hun activiteiten, dan zien we dat 80 procent van hun tijd opgaat aan zaken waarvoor ze niet zijn opgeleid. Ze vullen bijvoorbeeld formulieren in waar niemand op zit te wachten. Niemand weet wat er met die papieren gebeurt, maar ze moeten ingevuld worden en de verpleging heeft de taak om dat te doen. In warenhuizen besteden verkopers 70 tot 80 procent van hun tijd niet aan de klant maar aan de computer. De vraag hoe we kenniswerkers productiever moeten maken is een uitdaging die we de komende twintig jaar serieus onder ogen zullen moeten zien.

Bij handwerk is de eerste vraag: hoe doe je het? Het werk zelf is een gegeven. Bij kenniswerk vraag je: wat doe je en wat zou je moeten doen? Het beantwoorden van deze vragen is van essentieel belang als we ons concurrentievoordeel willen behouden. Fysieke hulpbronnen leveren niet langer veel voordeel op, en hetzelfde geldt voor vaardigheden. Het enige wat aantoonbaar verschil maakt is de productiviteit van kenniswerkers, en juist daarmee is het tamelijk slecht gesteld.

De losse eindjes bij elkaar brengen

Wat betekent dit nu allemaal? Het betekent in de eerste plaats dat het de taak van de ceo is om duidelijk aan te geven wat het bedrijf bedoelt met resultaten. Het betekent dat de ceo duidelijk dient te maken wanneer er op de ene plaats geduwd dient te worden en op de andere getrokken, en wanneer het tijd is om ergens mee te stoppen. In de toekomst zal een leider niet langer genoeg hebben aan zijn charisma. Hij zal een duidelijk beeld moeten hebben van de kerngegevens van het bedrijf, zodat andere mensen productief kunnen werken.

Dat is noodzakelijk vanwege de snelheid waarmee veranderingen plaatsvinden, de verwachtingen van moderne personeelsleden en de steeds concurrerender wereldeconomie. Het zal ook noodzakelijk zijn, aangezien het niet langer genoeg is om een strategie te hebben en te verwachten dat je daar jarenlang mee vooruit kunt.

Sommige bedrijven hebben succes gehad met langetermijnstrategieën. Voorbeelden zijn GM, AT&T en Sears. Maar dat zijn uitzonderingen; nu is tien jaar heel gewoon. De veranderingen volgen elkaar tegenwoordig zo snel op dat het waarschijnlijk heel gewoon zal worden om de strategie iedere drie of vier jaar te veranderen.

Het werk van een ceo zal steeds meer gaan lijken op de meest ingewikkelde job die ik ken, namelijk het opvoeren van een opera. Je hebt te maken met sterren en die kun je geen bevelen geven. Je hebt te maken met de rest van de cast en met het orkest. Met de mensen die achter de schermen werken en met het publiek. Al die groepen zijn totaal verschillend, maar de dirigent heeft een partituur en die is voor iedereen hetzelfde. In een bedrijf moet je er zeker van zijn dat de diverse groeperingen samenwerken om het gewenste resultaat te bereiken. Dit is essentieel voor iedereen die wil begrijpen wat er op ons afkomt. Het gaat er niet om of iets meer of minder belangrijk is, maar dat het op een andere manier belangrijk is. Het gaat er niet om dat men ervan afziet om bevelen te geven; het gaat erom te weten wanneer er een bevel gegeven dient te worden en wanneer iemand een partner is. Het is echt niet mijn bedoeling financiële doelstellingen te bagatelliseren. Integendeel, de demografische gegevens laten zien dat die juist belangrijker zullen worden. De financiële doelstellingen zal men echter dienen af te stemmen op de noodzaak een bedrijf vorm te geven en draaiende te houden.

(1997)

DEEL II

Kansen voor bedrijven

7

Ondernemers en innovatie

Bent u het met me eens dat we in de VS de beste ondernemers hebben en dat we ver voor liggen op andere landen ?

Absoluut niet! Dat is een misvatting en nog een gevaarlijke ook. We hebben misschien het grootste aantal starters, en falende starters, maar dat is alles. Waarschijnlijk staan we niet eens op de tweede plaats.

Wie staat er dan bovenaan?

Korea, zonder enige twijfel. Nauwelijks veertig jaar geleden ontbrak in Korea iedere vorm van industriële bedrijvigheid. De Japanners, die decennia de baas zijn geweest in Korea, stonden dat niet toe. Ook het hoger onderwijs werd door hen verboden, zodat Korea nauwelijks over geschoolde mensen beschikte. Toen de Koreaanse oorlog voorbij was, was Zuid-Korea vernietigd. Momenteel

---

Dit vraaggesprek vond plaats in het kantoor van de auteur in Claremont, Californië. Het werd afgenomen door George Gendron, hoofdredacteur van het tijdschrift *Inc.* De onderwerpen werden aangedragen door de auteur. De definitieve tekst is door de auteur geschreven op basis van een ruwe versie van het interview. Het interview verscheen in 1996 in een speciale editie van *Inc.*

kan Korea zich met 's werelds besten meten in wel twintig takken van industrie en voert het de ranglijsten aan, onder andere op het gebied van de scheepsbouw.

Als Korea de toppositie inneemt en wij niet eens tweede zijn, wie is dat dan wel?

De achterstand van Taiwan op Korea is maar klein. Ook Taiwan was in 1950 nog een pre-industriële natie. Nu is het land wereldleider op een aantal hoogtechnologische terreinen zoals microchips. Vergeet bovendien de Chinezen niet, die aan beide zijden van de Stille Oceaan het ene na het andere nieuwe bedrijf beginnen.

Maar brons is toch ook niet slecht?

De VS staat er niet beter voor dan Japan of Duitsland. Japan heeft meer marktleiders in huis die veertig jaar geleden nog niet eens bestonden of toen familiebedrijfjes waren, zoals Sony, Honda, Yamaha, Kyocera en Matsushita.

Duitsland is momenteel de derde economie ter wereld als het gaat om de export van productiegoederen per hoofd van de bevolking. Het land heeft zijn herrijzenis uit de as van de Tweede Wereldoorlog te danken aan een opleving van ondernemerschap. Honderden nieuwe of onooglijke bedrijfjes veranderden in grote fabrieken en toonaangevende industriële ondernemingen van mondiale betekenis.

Neem Bertelsmann. Het is een van de grootste multimediabedrijven, actief in veertig landen. Toen Reinhard Mohn, achterkleinzoon van de oprichter van het bedrijf, in 1946 terugkeerde uit krijgsgevangenschap, was Bertelsmann nog een provinciale uitgever van religieuze traktaten.

U zei zojuist dat de misvatting over het Amerikaanse ondernemerschap gevaarlijk is. Waarom?

Wat me nog meer bezighoudt dan het feit dat het heersende geloof in onze superioriteit eenvoudig onjuist is, is dat het leidt tot een gevaarlijke zelfingenomenheid. Die ingenomenheid lijkt op de ingenomenheid met het management in de vroege jaren zeventig. Toen waren we ervan overtuigd dat het Amerikaanse management verreweg het beste was, terwijl juist toen de Japanners ons op het gebied van massaproductie en service achter zich lieten.

Ik ben bang dat de zelfingenomenheid met ons ondernemerschap en innovatief vermogen ons opnieuw op een zijspoor zet. Niet alleen de Japanners, maar ook de Koreanen zouden daarvan kunnen profiteren.

Waarom denkt u dat dit gebeurt?

In dit land geloven we in het algemeen dat je als ondernemer een geweldig idee moet hebben en dat innovatie hoofdzakelijk R&D is. En dat is iets technisch. Natuurlijk weten we wel dat ondernemen een echt vak is, dat innovatie geen technische maar een economische term is, en dat ondernemerschap ten grondslag ligt aan een nieuwe onderneming. Daarmee vertel ik niets nieuws. Precies daardoor had Edison meer dan een eeuw geleden succes. Op een paar uitzonderingen na – en dan denk ik aan Merck, Intel en Citibank – is het Amerikaanse bedrijfsleven er nog steeds van overtuigd dat innovatie te maken heeft met een geniale inval. Innovatie zou geen systematisch en samenhangend vak zijn waaraan hoge eisen worden gesteld.

Japanners organiseren de innovatie, net als de Koreanen. Zij hebben hun beste mensen in kleine groepjes bij elkaar gezet om systematisch te werken aan het identificeren en ontwikkelen van nieuwe activiteiten.

Wat is het allerbelangrijkst?

Innovatie vraagt om het systematisch vaststellen van de veranderingen die zich in onze bedrijfstak al hebben voorgedaan op het vlak van demografie, normen en waarden, technologie of wetenschap. Vervolgens dienen we die veranderingen op te vatten als kansen. Het vraagt ook van ons – en dat is het moeilijkste voor bestaande bedrijven – om het verleden eerder overboord te zetten en niet vast te houden.

Vier valkuilen voor de ondernemer

Veel bedrijven beginnen dus veelbelovend. De eerste paar jaar doen ze het buitengewoon goed, om vervolgens tot over hun oren in de problemen te raken. Als ze het al overleven, zijn ze voor altijd getekend.

Bestaan er typische ondernemersfouten die vermeden zouden kunnen worden?

Er zijn eigenlijk vier punten waardoor nieuwe en groeiende bedrijven in moeilijkheden raken. Ik noem dat de valkuilen voor de ondernemer. Alle vier zijn ze te voorzien en te vermijden.

Van de eerste is sprake als de ondernemer onder ogen moet zien dat zijn nieuwe product of dienst geen succes heeft waar hij het verwachtte, maar wel op een totaal andere markt. Veel bedrijven gaan ten onder omdat de oprichter/ondernemer volhoudt dat hij of zij het beter weet dan de markt.

Betekent dat dat de ondernemer eigenlijk succes heeft maar dat hij zich dat niet realiseert?

Nee, het is nog erger. Hij of zij wijst het succes af. Wil je voorbeelden? Er zijn er duizenden, maar een van de meest sprekende is meer dan honderd jaar oud.

Een man genaamd John Wesley Hyatt had de kogellager uitgevonden. Hij besloot dat die zeer geschikt was voor de assen van goederenwagons. De spoorwegen voorzagen de wielen van hun rijtuigen van oudsher van in olie gedrenkte vodden om wrijving tegen te gaan. De spoorwegen waren echter in die tijd niet klaar voor een radicale verandering; ze waren gesteld op hun vodden. En terwijl Hyatt hen ervan probeerde te overtuigen dat het anders moest, ging hij failliet.

Toen Alfred Sloan, de man die later General Motors opzette, rond 1895 als beste van zijn jaar afstudeerde aan het MIT, vroeg hij zijn vader voor hem het failliete bedrijfje van Hyatt te kopen. Anders dan Hyatt was Sloan bereid om zijn kijk op het product te verbreden. Toen bleek dat de kogellager ideaal was voor de auto, die toen net op de markt verscheen. Binnen twee jaar stond Sloan aan het hoofd van een bloeiend bedrijf. Henry Ford was twintig jaar lang zijn beste klant.

Een mooi verhaal, maar komt het echt zo vaak voor dat succes verworpen wordt?

Volgens mij hebben de meeste nieuwe uitvindingen of producten geen succes op de markt waarvoor ze oorspronkelijk bedoeld waren. Dat heb ik vaak gezien. Novocaïne werd in 1905 door de

Duitse chemicus Alfred Einhorn uitgevonden voor gebruik in de algemene chirurgie, maar daarvoor bleek het niet geschikt. Tandartsen wilden het onmiddellijk hebben, maar de uitvinder was erop tegen dat het gebruikt zou worden voor zoiets banaals als het boren in tanden. Tot aan zijn dood reisde Einhorn de wereld af om de verdiensten van novocaïne als algemeen verdovend middel aan te prijzen.

Een recenter geval betreft een bedrijf waarvan de oprichter een softwareprogramma ontwikkeld heeft. De man was ervan overtuigd dat zijn programma volmaakt aansloot bij de behoeften van ziekenhuizen. Daarop lieten de ziekenhuizen hem weten dat ze anders georganiseerd waren dan hij had verondersteld. Hij verkocht geen enkel ziekenhuis iets. Puur toevallig stuitten de bestuurders van een kleine stad op het programma. Zij ontdekten dat het programma naadloos bij hun behoeften aansloot. Vanaf dat ogenblik kwamen uit het hele land bestellingen binnen van middelgrote steden. En de oprichter weigerde die te accepteren.

Waarom verwerpen ondernemers onverwachte successen?

Omdat het niet strookt met wat zij zich hadden voorgesteld. Ondernemers geloven dat ze alles onder controle hebben. Dat brengt me bij valkuil nummer twee. Ondernemers denken dat winst in een nieuw bedrijf het allerbelangrijkst is, maar winst is secundair. Het gaat om de kasstroom.

Lichamen die in de groei zijn hebben voedsel nodig en een bedrijf dat snel groeit verslindt geld. Je moet voortdurend investeren om bij te blijven. Dat is allemaal te voorzien, en daarom is het totaal niet nodig om in een financiële crisis verzeild te raken. Ik heb meer nieuwe ondernemingen gered dan ik me kan herinneren, domweg door de oprichter, die me liet zien hoe prachtig de dingen liepen, te vertellen dat het nu tijd was om de volgende financiële injectie te regelen. Als je zes maanden tot een jaar hebt om voor je volgende financiering te zorgen, kun je er tamelijk zeker van zijn dat je die kunt krijgen tegen gunstige voorwaarden.

Waarom denkt u dat het zo moeilijk is voor ondernemers om het begrip kasstroom in de vingers te krijgen?

Zij zijn de enigen niet. Warren Buffet zei eens dat hij, als hij wil weten hoe een bedrijf het doet, niet luistert naar de analisten. Die praten over de winst, maar dat is irrelevant. Hij kijkt naar analyses van de kredieten; die zijn gerelateerd aan de kasstroom. Ik moet nog altijd de eerste nieuwsbrief voor beleggers tegenkomen waarin wordt gesproken over liquiditeit en de financiële positie van een groeiend bedrijf. Men praat alleen over winstmarges en winstgevendheid.

Hoe komt dat? Hebben we dat te danken aan onze business schools?

Nee, in wezen zijn zakenmensen financiële analfabeten.

Laten we er eens van uitgaan dat het bedrijf stilstaat bij de kasstroom, de financiële crisis overleeft en alle groeiverwachtingen overtreft. Wat is dan de derde valkuil die opduikt?

Als een bedrijf groeit, heeft de oprichter het ongelooflijk druk. Snelle groei zet een bedrijf enorm onder druk. Je groeit uit je faciliteiten en je managementcapaciteit.

De ondernemer begint als een waanzinnige rond te rennen. Hij ziet verkoopcijfers en winstvoorspellingen. Daardoor raakt hij ervan overtuigd dat hij de zaak over een jaar kan verkopen en dan 10 miljoen dollar opstrijkt. Ondertussen ziet hij niet dat zijn managementcapaciteit te klein wordt.

Ik werk al vijftig jaar met ondernemers en ik kan je vertellen dat het een normaal verschijnsel is. Het geldt voor zeker 80 procent van de gevallen. Zelfs als je bedrijf in een normaal tempo groeit – en niet iedere zes maanden drie keer zo groot wordt – krijg je aan het eind van het vierde jaar een managementcrisis.

Dus op dat moment groei je uit je managementjas?

Inderdaad. In het begin doet de oprichter alles zelf. Hij heeft wel hulp maar geen collega's. Plotseling loopt alles in het honderd. De kwaliteit daalt schrikbarend. Klanten betalen niet, leveranciers laten het afweten.

Ieder nieuw bedrijf maakt veel fouten. Waar moet je als ondernemer in ieder geval op letten als je niet uit je krachten wilt groeien qua managementcapaciteit?

Mensen die naar me toe komen vraag ik altijd hoe ze reageren op kansen. Stel dat een klant zegt: Als je voor mij 10.000 zus-enzo's maakt, krijg je van ons een contract. Zie je dat dan als een probleem of als een kans? Als ze dan zeggen dat het natuurlijk een kans is, maar dat ze zich er zorgen over maken omdat het ook extra druk betekent, zeg ik: 'Kijk, vriend, jij bent uit je managementjas gegroeid.'

Om een crisis te vermijden zou je eens de tijd moeten nemen om een managementteam op te zetten. Op een bepaald moment werken er misschien veertig mensen voor je. Bekijk die allemaal eens om te zien wie blijk geeft van leidinggevende capaciteiten. Die vier of vijf mensen, want meer zullen het er waarschijnlijk niet zijn, roep je bij elkaar en je zegt: Ik wil dat jullie het komende weekend bij elkaar gaan zitten en de andere personeelsleden én mijzelf eens onder de loep nemen. Kijk niet naar jezelf. Kijk naar de anderen en bedenk wat ze stuk voor stuk goed kunnen. Daarna kom je bij elkaar, pak je een vel papier en schrijf je de sleutelactiviteiten van het bedrijf op. Tegenwoordig noemen we dat je kernactiviteiten vastleggen.

Jonge ondernemers kunnen het zich niet veroorloven om een managementteam op te zetten, maar kijk nou eens naar Tom. Tom is een goede dienstverlener, dus aan hem zou je de leiding kunnen geven over het kantoor. Geef hem een paar maanden of een paar jaar een extra taak, of geef hem een assistent, maar voortaan is het Toms taak om service te verlenen aan de klanten. En dit is Jane, van de afdeling Productie. Zij kan beter dan wie ook met mensen omgaan. Dat betekent dat Productie en Personeel dezelfde chef krijgen.

Als je iedere maand vergadert, heb je binnen een jaar een managementteam. Om zo'n team tot stand te brengen, heb je zeker een jaar nodig. Soms wel anderhalf jaar.

Om echt als een team te gaan functioneren?

Jazeker, maar ook om erachter te komen dat Joe precies de financiële man is die je nodig hebt, ook al is hij niet de makkelijkste om mee samen te werken. En om erachter te komen dat Tom zich ontwikkelt tot een eersteklas verkoop- en marketingmanager, maar eigenlijk een zwakke servicemanager is. Tom was misschien de beste die je had, maar hij is niet goed genoeg.

Dat is voor een ondernemer een moeilijke beslissing. Zeker als Tom er vanaf het begin bij is.

Natuurlijk, maar als je anderhalf jaar van tevoren begint met het opzetten van je team, zal Tom beseffen dat het tijd wordt om een stapje opzij te doen. Als alles in het honderd loopt, is het te laat.

En de vierde valkuil?

De vierde valkuil is de moeilijkste. Daarvan is sprake als het bedrijf succesvol is en de ondernemer zichzelf vóór het bedrijf begint te plaatsen. Denk aan iemand die veertien jaar lang achttien uur per dag heeft gewerkt en nu een bedrijf heeft met een goed functionerend managementteam. Zeg dat het bedrijf 60 miljoen dollar waard is. Zo iemand vraagt zich misschien af: Wat wil ik verder doen? Wat is mijn rol nog? Maar dat zijn wel de verkeerde vragen. Als je zo begint, breng je onvermijdelijk jezelf en je bedrijf om zeep.

Wat zou je dan moeten vragen?

Je zou je eerst moeten afvragen wat het bedrijf op dit moment nodig heeft. En vervolgens of je zelf over die kwaliteiten beschikt.

Je moet beginnen met de behoeften van het bedrijf. Op dat punt kan een buitenstaander veel betekenen.

Door de jaren heen zijn er misschien wel honderd mensen naar me toe gekomen die zich in die situatie bevonden. En als ik hun dan vroeg waarom ze gekomen waren, zeiden de meesten dat hun vrouw had gezegd dat ze niet meer goed functioneerden en dat ze zichzelf, hun gezin en hun bedrijf aan het beschadigen waren. Af en toe is er ook een slimme dochter die dat zegt. Maar als de zoon het zegt, wordt die aan de kant geschoven door de oprichter van het bedrijf. De vader is bang dat zijn zoon de zaak wil overnemen en hem eruit wil werken. Maar een vrouw of een verstandige dochter kan zoiets zeggen.

Soms is het een aandeelhouder die van zich laat horen, een accountant of een advocaat. Doorgaans moet iemand zo'n ondernemer een flinke schop verkopen om hem zover te krijgen dat hij de dingen ziet zoals ze zijn: dat hij niet meer van zijn werk kan genieten. Hij weet dat hij zich niet meer op de goede dingen concentreert.

Denkt u dat ondernemers tegenwoordig handiger zijn in het vermijden van de valkuilen die u hebt beschreven?

Nee.

Nee? En al die scholing en al die MBA's?

Scholing levert je net zo min ervaring als wijsheid op.

Kunnen grote bedrijven ondernemerschap bevorderen?

In de jaren tachtig van de vorige eeuw werd veel gezegd en geschreven over 'intrapreneurschap'. Dat leek toen allemaal erg modieus. Nu de hype voorbij is, vraag ik me af of grote bedrijven ondernemerschap echt kunnen bevorderen.

Natuurlijk kan dat en heel wat bedrijven doen het ook. En veel middelgrote bedrijven zijn er zelfs goed in. Doorgaans wordt onder *ondernemerschap* echter iets anders verstaan. De meeste boeken gaan uit van de laatste bloeiperiode van het ondernemen in de westerse geschiedenis, namelijk de zestig jaar die voorafgingen aan de Eerste Wereldoorlog. In die tijd werden al onze belangrijke organisaties – en niet alleen onze bedrijfsorganisaties – opgericht en vormgegeven.

Het begon met de Wereldtentoonstelling in Londen in 1851. Dat was het begin van de tweede Industriële Revolutie. In de jaren vijftig werd door William Henry Perkin in Engeland de eerste aniline verfstof uitgevonden, en dat betekende het begin van de moderne chemische industrie.

In hetzelfde decennium vond Werner von Siemens in Duitsland de elektrische motor uit. Dat was het begin van de industriële toepassing van elektriciteit. En Cyrus McCormick vierde triomfen met zijn maaimachine. Die machine betekende het begin van de mechanisering in de landbouw. In hetzelfde decennium werd de eerste transatlantische kabel gelegd en werd de eerste transatlantische stoombootdienst opgezet. In Engeland vond Bessemer uit hoe staal gemaakt moest worden en in Frankrijk stonden de gebroeders Pereire aan de wieg van de Crédit Mobilier, en daarmee van het moderne financiële systeem.

Tot 1914 is er zo ongeveer iedere veertien maanden een belangrijke nieuwe uitvinding gedaan, waardoor steeds weer een nieuwe tak van industrie ontstond.

Waarin verschilde die periode van innovatie van de huidige?

Al die nieuwe industrieën bewogen zich op onbekend terrein. Voordat de spoorwegen zich in de VS begonnen te ontwikkelen, bestonden er geen grote ondernemingen. Van concurrentie was geen sprake. De spoorwegen verdreven niemand en veroorzaakten geen ontwrichting. Tegenwoordig zijn er overal organisaties en maken we ons er druk over dat veel van de organisaties die al ruim een eeuw bestaan, niet zullen overleven.

Wat betekent dat voor het ondernemerschap in grote bedrijven?

Grote bedrijven zullen moeten leren innoveren, op straffe van verdwijning. Sommige bedrijven zullen zichzelf opnieuw moeten uitvinden. Steeds vaker groeien grote bedrijven verder door allianties en joint ventures. Toch weten maar heel weinig grote bedrijven hoe ze met een alliantie moeten omgaan. Ze zijn wel gewend om orders te geven, maar niet om met een partner samen te werken. Dat is ook iets totaal anders. In een alliantie of een joint venture moet je je om te beginnen afvragen wat je partners willen. Welke waarden en doelstellingen heb je met hen gemeen? Dat zijn geen makkelijke vragen voor iemand die volwassen is geworden bij GE of Citibank en nu bij de leiding van een wereldwijd opererende onderneming hoort.

Innovatie betekent ook dat je je producten en diensten verandert om markten te behouden die sneller veranderen dan vroeger. Kijk maar wat er met banken gebeurt. Momenteel zijn er in de VS maar een paar grote banken die winst maken met traditionele activiteiten als lenen en sparen. Banken maken tegenwoordig winst met creditkaarten, bonussen voor geldautomaten, valutahandel en de verkoop van beleggingsfondsen. Om overeind te blijven zullen grote organisaties moeten innoveren.

Maar kunnen grote bedrijven het ondernemerschap bevorderen?

Dat zullen ze wel moeten. Hoe moeten ze anders de problemen te lijf gaan die ze ondervinden binnen een partnerschap of alliantie? Want wat doen ze? Ze zetten een afdeling op die zich heel anders gedraagt dan de rest van het bedrijf. Hoe succesvoller die afdeling is, hoe moeilijker het vol te houden is om daaraan niet dezelfde eisen te stellen als aan de rest van het bedrijf.

Als het om een nieuwe bedrijfsactiviteit gaat – ongeacht of die zich binnen of buiten het bedrijf bevindt – moet je dat vergelijken met een kind. Als je een kind van zes meeneemt voor een lange wandeling geef je het ook geen volle rugzak.

Kunt u een paar voorbeelden noemen van bedrijven die succes hebben gehad met intern ondernemerschap?

Er zijn bedrijven die goed zijn in de verbetering van wat ze al doen. Japanners spreken dan van *kaizen*. Er zijn ook bedrijven die goed zijn in de uitbreiding van wat ze al doen. Daarnaast heb je bedrijven die goed zijn in innovatie. Ieder groot bedrijf moet in staat zijn om alle drie tegelijkertijd te doen: verbeteren, uitbreiden en innoveren. Ik ken geen enkel groot bedrijf dat al zover is, maar ze leren het wel.

De opkomst van het maatschappelijk ondernemen

Zou u uw standpunten over maatschappelijk ondernemen kort kunnen samenvatten?

In de eerste plaats is het net zo belangrijk, zo niet belangrijker, als economisch ondernemen. Hier in de VS hebben we een zeer gezonde economie en een ernstig zieke samenleving. Misschien is maatschappelijk ondernemen wel datgene wat we het hardst nodig hebben – in de gezondheidszorg, het onderwijs, het stadsbestuur etcetera. Gelukkig zijn er al genoeg successen geboekt om te weten dat het mogelijk is. En hoe het moet worden aangepakt.

Hoe bijvoorbeeld?

Je moet klein beginnen. Grote alomvattende remedies werken nooit. Dat was het probleem met het plan van president Clinton om de gezondheidszorg te hervormen. Momenteel vinden er her en der in de gezondheidszorg experimenten plaats, en langzaam ontstaan daaruit de omtrekken van een nieuw Amerikaans gezondheidsstelsel. We praten nog steeds over grote, ambitieuze, nationale plannen voor het onderwijs, maar op tal van plaatsen boeken allerlei lokale scholen succes dankzij lokale ondernemers. En we weten dat het Amerikaanse publiek – en zeker de jonge, goed geschoolde tweeverdieners – graag als vrijwilliger een bijdrage levert aan maatschappelijke activiteiten.

U hebt gesteld dat steeds meer banen binnen de gemeenschap door lokale organisaties – zowel commercieel als non-profit – worden ingevuld. Waarom is het management van kleinere non-profitorganisaties volgens u vaak zo ver onder de maat?

Omdat men er ten onrechte van uitgaat dat je met goede bedoelingen bergen kunt verzetten. Dat kun je alleen met bulldozers. Maar er zijn uitzonderingen.

Ik heb in 1990 geholpen bij het opzetten van een stichting voor non-profitmanagement. We hebben in ons bestand ruim duizend verhalen van kleine, meestal lokale organisaties die iets doen wat niemand anders kan. Onze jaarlijkse innovatieprijs gaat dit jaar naar de Rainforest Alliance.

Die heeft een manier gevonden om het regenwoud te beschermen en tegelijkertijd de oogst te vergroten en het inkomen van bananenboeren te verhogen, terwijl die ooit de grootste vijand van het regenwoud waren. Ook andere kandidaten voor de prijs zijn vernieuwend bezig.

Dit zijn allemaal maatschappelijke ondernemers, geen commerciële. De maatschappelijke ondernemer verandert het maatschappelijk vermogen om te presteren. Er moet een duidelijke behoefte aan bestaan, anders zouden we de afgelopen dertig jaar niet 800.000 non-profitorganisaties hebben kunnen steunen.

Vroeger betekende liefdadigheid dat je een cheque uitschreef. Tegenwoordig ervaren steeds meer mensen die zelf geslaagd zijn dat dat niet voldoende is. Zij zoeken geen tweede loopbaan maar een nevenactiviteit. Onder hen zijn er maar heel weinig die van baan verwisselen.

U hebt het vermoeden geuit dat er een periode van enorme innovatie zal aanbreken. Daarnaast zijn er erg veel mensen in de particuliere sector die betrokken willen zijn bij maatschappelijk ondernemerschap. Bent u van mening dat we meer sociale innovatie tegemoet kunnen zien dan in lange tijd het geval is geweest?

Zonder twijfel.

Maar veel mensen in het bedrijfsleven zijn afkerig van non-profit-

organisaties, omdat ze die niet professioneel vinden.

Dan hebben ze gelijk, maar ook ongelijk. Ze hebben gelijk omdat te veel non-profitorganisaties slecht of helemaal niet gemanaged worden. Maar ze hebben ongelijk omdat non-profitorganisaties geen bedrijven zijn en op een andere manier geleid zouden moeten worden.

Hoe dan?

Ze hebben niet minder management nodig, maar juist meer en de reden is dat ze geen financiële doelstelling kennen. Hun missie en hun product moeten nauwkeurig omschreven en voortdurend geëvalueerd worden. De meeste non-profitorganisaties moeten nog leren hoe ze vrijwilligers kunnen aantrekken en behouden. De beloning van vrijwilligers bestaat niet uit een salaris, maar uit verantwoordelijkheid en prestaties.

Wat kunt u zeggen over innovatie en ondernemerschap bij de overheid?

Dat is waarschijnlijk onze belangrijkste uitdaging. Geen enkele overheid in de ontwikkelde wereld functioneert nog naar behoren. De Verenigde Staten, het Verenigd Koninkrijk, Duitsland, Frankrijk, Japan – geen van die landen heeft een regering die de burgers respecteren of vertrouwen.

In al deze landen klinkt de roep om een leider. Dat is echter niet waar het om gaat. Als iets over de volle breedte niet functioneert, heb je geen personeelsprobleem maar een systeemprobleem.

Moderne overheden hebben behoefte aan innovatie. Wat er op het ogenblik is, bestaat al zo'n vierhonderd jaar. De uitvinding van de nationale staat en van moderne regeringen, aan het eind van de zestiende eeuw, was zeker een van de meest succesvolle innovaties tot nu toe. Binnen tweehonderd jaar veroverden ze de wereld.

Maar nu is het tijd voor een nieuwe denkwijze. Hetzelfde geldt voor de economische theorieën die de afgelopen zestig jaar hebben gedomineerd. De overheid – en niet het zakenleven of non-profitorganisaties – zal het belangrijkste gebied zijn voor ondernemerschap en innovatie in de komende vijfentwintig jaar.

(1996)

geplaatst wordt. Dat doet het bedrijf echter pas na een voorstel daartoe van mijn kant of na zorgvuldig overleg. Exult heeft verplichtingen aan mij, aan het bedrijf en aan de werknemer. Als de werknemer niet tevreden is, zal die vertrekken. Een enkele keer is het voorgekomen dat ik toegaf toen Exult stelde dat de overplaatsing van een werknemer die ik zelf heel graag had gehouden in het belang van de werknemer was, en waarschijnlijk uiteindelijk ook van het bedrijf.'

Zowel de uitzendbedrijven als de personeelsdiensten groeien snel. Adecco groeit met 15 procent per jaar, de personeelsdiensten met 30 procent. Die verdubbelt zich dus iedere tweeënhalf jaar. Zelf verwacht men in 2005 mede-werkgever te zijn van zo'n 10 miljoen Amerikaanse werknemers.

Op het hele terrein van personeelsmanagement is dus duidelijk iets gaande dat niet aansluit bij datgene waar de managementauteurs over schrijven en waarover we doceren op de managementopleidingen. Het past evenmin bij de manier waarop de personeelsafdelingen van de meeste organisaties – bedrijven, overheden en non-profitinstellingen – zijn opgezet en zouden moeten functioneren.

Bureaucratische rompslomp

Doorgaans wordt de populariteit van uitzendkrachten verklaard door de flexibiliteit die zij werkgevers zouden geven. Maar dat kan nooit de hele verklaring zijn. Daarvoor werken er veel te veel uitzendkrachten gedurende langere tijd, soms zelfs jaren, voor dezelfde werkgever. En flexibiliteit kan de opkomst van de personeelsdiensten al helemaal niet verklaren. Een plausibeler verklaring is dat beide vormen van dienstverlening er op legale wijze voor zorgen dat mensen die voor een organisatie werken geen werknemer worden. De motor achter de gestage groei van de uitzendbranche en de opkomst van personeelsdiensten is dat werkgevers steeds meer hinder ondervinden van allerhande wetten en regels.

De kosten die met deze wetten en regels gepaard gaan, dreigen kleine bedrijven te wurgen. De afdeling Small Business Administration van de Amerikaanse overheid heeft een schatting gemaakt van de kosten die Amerikaansde bedrijven met minder dan vijfhonderd werknemers jaarlijks kwijt zijn door overheidsregels, het invullen van allerlei formulieren en het voldoen aan fiscale regels. In 1995, het laatste jaar waarover gegevens bekend zijn, was dat 5000 dollar per werknemer. Dat betekent dat boven op de kosten van lonen, gezondheidszorg, verzekeringen en pensioenen – die in dat jaar 22.500 dollar bedroegen voor de gemiddelde werknemer van een klein bedrijf – nog eens een 'bonus' van 25 procent kwam. Geschat wordt dat sindsdien de kosten nog met ruim 10 procent gestegen zijn.

Veel van deze kosten kunnen vermeden worden als werknemers in vaste dienst vervangen worden door uitzendkrachten. Dat is de reden dat zoveel bedrijven gebruik van de diensten van uitzendbureaus. En dat terwijl een uitzendkracht per uur vaak wezenlijk duurder is dan een vaste werknemer. Een andere manier om te snijden in de kosten van de bureaucratie is de afdeling Personeelszaken uitbesteden aan een gespecialiserd bedrijf. Die kosten kunnen met tweevijfde worden teruggebracht als er een personeelsbestand van 500 personen gecreëerd kan worden door een *pool* te maken van kleine bedrijven. (Dat is natuurlijk precies wat een personeelsdienst doet.) Aldus de officiële cijfers.

Door het uitbesteden van Personeelszaken kunnen trouwens niet alleen kleine bedrijven hun arbeidskosten substantieel terugbrengen. Onderzoek van McKinsey uit 1997 heeft uitgewezen dat een mondiaal opererend bedrijf dat voorkomt in de Fortune 500 – dus echt een heel groot bedrijf – de personeelskosten met een kwart tot eenderde zou kunnen terugbrengen door het werk uit te besteden aan een extern bedrijf. Blijkbaar heeft dit onderzoek de aanzet gegeven tot de oprichting van Exult een jaar later.

Het uitbesteden van werknemers en het personeelsbeheer is een internationale trend. Hoewel wetten en regelingen van land tot land sterk verschillen, brengen ze overal in de ontwikkelde wereld hoge kosten met zich mee voor bedrijven. De grootste markt bijvoorbeeld van Adecco is Frankrijk. De VS komt op de tweede plaats. In Japan groeit Adecco met 40 procent per jaar. In Schotland opende Exult in 2000 een groot centrum voor personeelsmanagement, en het bedrijf heeft ook kantoren in Londen en Genève.

Nog bezwaarlijker dan de kosten is het enorme beslag dat alle voorschriften leggen op de tijd en aandacht van het management. Tussen 1980 en 2000 is het aantal wetten en regelingen in de VS dat betrekking heeft op personeel, gegroeid met 60 procent. En steeds zijn er verslagen nodig en steeds dreigen er boetes en straffen voor nalatigheid. Volgens de Small Business Administration is de eigenaar van een klein of middelgroot bedrijf tot een kwart van zijn tijd kwijt aan papierwerk dat met zijn werkgeverschap te maken heeft. Daarnaast bestaat er dan nog de voortdurende – en de voortdurend toenemende – dreiging van rechtszaken die met het werkgeverschap te maken hebben. Tussen 1991 en 2000 is het aantal zaken betreffende seksuele intimidatie meer dan verdubbeld, van 6883 tot 15.889 per jaar. En voor iedere zaak die voorkwam waren er minstens tien die intern werden afgehandeld. Maar ook in die gevallen is er veel tijd nodig voor onderzoek en verhoor en gaat er veel geld naar de advocaten.

Geen wonder dat werkgevers – en zeker de kleinere, want die vormen de overgrote meerderheid – klagen dat ze te weinig tijd overhouden voor hun producten en dienstverlening, voor klanten en markten, voor kwaliteit en distributie. Ze kunnen, kortom, te weinig tijd besteden aan de bedrijfsresultaten. In plaats daarvan zijn ze bezig met zaken die samenhangen met hun werkgeverschap. Voor hen gaat de aloude mantra *Mensen zijn ons grootste kapitaal* niet meer op. Het is nu eerder: *Mensen vormen ons grootste risico.* Het succes van uitzendbedrijven en de opkomst van personeelsdiensten hebben dezelfde achtergrond: ze stellen het management in staat zich op de bedrijfsactiviteiten te concentreren.

Op dezelfde manier valt ook het succes te verklaren van de *maquiladoras*, de fabrieken aan de Mexicaanse kant van de grens met de VS. (Ze zijn trouwens steeds vaker in het Mexicaanse binnenland te vinden.) Daar worden van onderdelen die afkomstig zijn uit de VS, het Verre Oosten of Mexico complete producten gemaakt voor de Amerikaanse markt. Volgens mij is het vermijden van de papierwinkel een sterkere prikkel voor deze assemblagebedrijven dan de vaak discutabele besparingen op arbeidskosten. Het Mexicaanse bedrijf dat eigenaar is van deze maquiladoras treedt op als co-werkgever en neemt de hele personeelsadministratie voor zijn rekening. Die is in Mexico overigens net zo gecompliceerd als in de VS. Op deze manier is de Amerikaanse of Japanse bedrijfseigenaar echter wel in staat zich volledig op zijn bedrijf te richten.

Niets wijst erop dat in de ontwikkelde landen de personeelskosten en de wettelijke eisen zullen afnemen. Integendeel. Er zal eerder een nieuwe laag van instanties ontstaan waarmee een werkgever rekening dient te houden; een nieuwe reeks rapporten en formulieren; een nieuwe lawine van klachten, disputen en rechtzaken.

De versplinterde organisatie

Naast de wens om de kosten en beslommeringen te vermijden die alle regelingen met zich meebrengen, bestaat er nog een belangrijke reden voor de opkomst van de uitzendbranche en de personeelsdiensten: de aard van kenniswerk en meer speciaal de extreme specialisatie van kenniswerkers. De meeste grote, op kennis gebaseerde ondernemingen kennen tal van soorten werknemers en het is een hele klus om die allemaal effectief te managen. Daar kunnen uitzendbureaus en personeelsdiensten nuttig bij zijn.

Tot in de jaren vijftig behoorde 90 procent van het personeel tot de ondergeschikten: mensen die deden wat hun werd opgedragen. De ‘vrijgestelden’ waren degenen die de orders uitdeelden. De meeste ondergeschikten waren arbeiders met weinig vaardigheden en weinig scholing. Ze verrichtten steeds dezelfde taken op de fabrieksvloer of op kantoor. Nu is die categorie geslonken tot minder dan eenvijfde van de totale beroepsbevolking. Kenniswerkers, die tweevijfde van de beroepsbevolking uitmaken, hebben soms iemand boven zich, maar het zijn geen ondergeschikten. Het zijn medewerkers. Op hun terrein van expertise hebben zij het voor het zeggen. Kenniswerkers vormen bovendien geen homogene groep. Alleen specifieke kennis is effectief. Dat geldt zeker voor de snelst groeiende groep kennistechnologen – sowieso de snelst groeiende groep werknemers – zoals computerreparateurs, juridisch adviseurs, programmeurs en vele anderen. En omdat kenniswerk werk van specialisten is, is het zelfs in grote organisaties volledig versplinterd.

Ziekenhuizen vormen het beste voorbeeld. Het zijn de meest complexe organisaties die ooit werden opgezet. De laatste dertig jaar groeien ze in de ontwikkelde landen snelller dan welke andere organisatie ook. In een middelgroot ziekenhuis met 275 tot 300 bedden werken zo'n 3000 mensen. Ongeveer de helft van hen kan gerekend worden tot de kenniswerkers. Daartoe behoren groepen als verplegers en specialisten van afdelingen waar honderden mensen werken. Daarnaast zijn er nog zo'n dertig paramedische specialisten: therapeuten en laboranten; technici van de afdeling Oncologie; mensen die patiënten voorbereiden op een operatie; mensen in de slaapkliniek; de echografist; specialisten van de hartafdeling en nog heel veel meer.

Stuk voor stuk kennen deze specialismen hun eigen regels, opleidingen, voorwaarden en officiële erkenning. Toch gaat het in een ziekenhuis om niet meer dan een handvol mensen: misschien zijn er in een ziekenhuis met 275 bedden maar zeven of acht diëtisten. Maar elke groep verwacht en eist wel een speciale behandeling. Elke beroepsgroep verwacht niet alleen dat er hoger in de organisatie iemand is die begrijpt waar ze mee bezig is en hoe de verhouding met de artsen, met de verpleging en het bedrijfsbureau zou moeten zijn, ze heeft dat ook nodig. Binnen een specifiek ziekenhuis bestaan er voor de leden van deze beroepsgroepen geen carrièremogelijkheden. Geen enkel groepslid zou, gesteld dat hij de kans kreeg, de financiële man van het ziekenhuis willen worden.

Er zijn momenteel maar weinig bedrijven die net zo veel specialisten in huis hebben als een ziekenhuis, maar het gaat wel die kant op. Ik ken een warenhuisketen die zo'n vijftien kennisspecialismen in huis heeft. Bij ieder afzonderlijk warenhuis werken een stuk of vijf specialisten. Ook voor de financiële dienstverlening geldt dat de behoefte aan specialisatie en concentratie op een specialisme toeneemt. De persoon die de beleggingsmaatschappijen selecteert die het bedrijf zijn cliënten wil aanbieden, is niet degene die de aandelen in de beleggingsmaatschappijen verkoopt. Binnen organisaties bestaan voor de individuele kennisspecialist steeds minder carrièremogelijkheden. Specialisten hebben evenmin veel belangstelling om manager te worden, of het zou moeten gaan om het leidinggeven aan een groepje collega's.

Amerikaanse ziekenhuizen hebben dit specialisatieprobleem grotendeels het hoofd geboden door het uitbesteden van activiteiten. In veel – en misschien al wel de meeste – ziekenhuizen wordt elk kennisspecialisme geleid door telkens een ander bedrijf. De afdeling Bloedtransfusie wordt gerund door een bedrijf dat gespecialiseerd is in bloedtransfusies. Net als een personeelsdienst is dat bedrijf een soort co-werkgever van de mensen van de bloedtransfusiedienst. Binnen zo'n kader hebben bloedtransfusiespecialisten wel carrièremogelijkheden. Als ze goed presteren, kunnen ze manager worden van de afdeling Bloedtransfusie van een groter en beter betalend ziekenhuis, of supervisor over verschillende units.

Zowel het grote uitzendbureau als de personeelsdienst doen op grote schaal wat in een ziekenhuis op kleine schaal wordt gedaan. Zelfs hun grootste cliënt ontbreekt het aan de kritische massa om de gespecialiseeerde kenniswerker aan te sturen, te plaatsen en arbeidssatisfactie te verschaffen. En dat kunnen de uitzendorganisatie en de personeelsdienst nu juist wel.

Op die manier spelen de uitzender en de personeelsdienst voor de werkgever en de werknemer een vitale rol. Dit verklaart ook waarom personeelsdiensten waar kunnen maken dat mensen die voor hen werken tevredener zijn met hun werk. Dat druist totaal in tegen wat de *human relations*-theorie zou hebben voorspeld. De metaalwerker bij een middelgroot chemisch bedrijf heeft misschien een behoorlijk salaris en een interessante baan, maar hij heeft maar een paar collega's, want meer zijn er daar niet nodig. Aan de top van het bedrijf weet niemand wat hij doet, zou kunnen of zou moeten doen. Hij heeft maar een minieme kans om manager te worden, en dat zou in ieder geval betekenen dat hij alles zou moeten opgeven waarvoor hij geleerd heeft en waarvan hij houdt. Een goed uitzendbureau kan een metaalbewerker daar onderbrengen waar hij het best tot zijn recht komt. Het kan iemand die het goed doet steeds betere, en beter betaalde, banen aanbieden. In de contracten waar de meeste personeelsdiensten mee werken, wordt expliciet gesteld dat de personeelsdienst het recht en de plicht heeft zijn mensen de baan en het bedrijf te bieden die het best bij hen passen. Waarschijnlijk is het de belangrijkste taak van de personeelsdienst om zijn verantwoordelijkheden jegens enerzijds bedrijven en anderzijds werknemers in evenwicht te brengen.

Bedrijven snappen het niet

Het HR-beleid gaat er nog steeds van uit dat de meeste, zo niet alle, mensen die voor een bedrijf werken, werknemers zijn van dat bedrijf. We hebben al gezien dat dat niet waar is. Sommigen werken voor een uitzendbureau of voor het bedrijf waaraan de computersystemen of de call centers zijn uitbesteed. Anderen zijn oudere parttimers die vroeg met pensioen zijn gegaan maar nog steeds actief zijn via een speciale regeling. Gezien deze versplintering is niemand nog in staat de gehele organisatie te overzien. De afdeling Personeel en de personeelsdiensten kijken alleen naar de mensen die wettelijk in dienst zijn. Uitzendbureaus beweren dat ze productiviteit verkopen – met andere woorden dat ze de organisatie het toezicht uit handen nemen – maar het is moeilijk te zien hoe ze dat kunnen waarmaken. De productiviteit van de mensen die aan een klant worden geleverd, hangt af van de plaats die ze krijgen binnen het bedrijf en van de manier waarop ze gemanaged en gemotiveerd worden. Maar deze terreinen vallen buiten het bereik van de uitzendorganisatie en de personeelsdienst.

Dit beperkte bereik vormt wel een probleem. Het personeelsmanagement heeft de taak na te gaan hoe het gesteld is met de productiviteit en prestaties van de mensen van wie de organisatie afhankelijk is. Dat geldt voor iedere organisatie. Het gaat daarbij om de uitzendkrachten en de parttimers, om de eigen werknemers en de gedetacheerden, de leveranciers en de distributeurs.

Soms gaat het die kant al op. Een Europese multinational, fabrikant van consumptiegoederen, is bezig zijn omvangrijke en hoog aangeschreven personeelsmanagement onder te brengen in een apart bedrijf dat overal ter wereld zal optreden als de personeelsdienst voor het moederbedrijf. Dat bedrijf zal ook de relaties onderhouden met de mensen die voor de multinational werken zonder er in dienst te zijn. Uiteindelijk zal deze interne personeelsdienst zich presenteren als co-werkgever voor de werknemers van de leveranciers, de distributeurs en van de ruim tweehonderd joint ventures en allianties waarbij de multinational betrokken is. Het Japanse Sony voert een experiment uit waarbij sollicitanten naar een vaste baan bij een van de hoofdvestigingen eerst tien maanden aan de slag gaan als uitzendkracht van Adecco. Gedurende die periode fungeert Sony als de personeelsmanager van de uitzendkracht-op-proef, hoewel Adecco in wettelijke zin de werkgever is.

De sleutel tot concurrentievoordeel

Tegenwoordig is het voor organisaties veel belangrijker om de gezondheid en het welzijn van het personeel goed in de gaten te houden dan vijftig jaar geleden. Kenniswerkers verschillen kwalitatief van minder geschoold personeel. Momenteel vormen de kenniswerkers een minderheid, en waarschijnlijk zal dat altijd zo blijven. Maar zij worden wel in hoog tempo de grootste minderheid, en ze vormen nu al de belangrijkste bron van welvaart. Steeds vaker zal het succes en zelfs het voortbestaan van een bedrijf afhangen van de prestaties van de kenniswerkers. Aangezien het statistisch onmogelijk is dat het kleinste bedrijf de beste mensen heeft, bestaat er in een kenniseconomie en een kennissamenleving maar één manier waarop een organisatie zich kan onderscheiden: door meer te halen uit dezelfde soort mensen. Dat wil zeggen dat de kenniswerkers zo gemanaged moeten worden dat zij productiever worden. Zoals wel eens gezegd wordt: zorg ervoor dat gewone mensen buitengewone dingen doen.

De traditionele werknemer was productief dankzij het systeem. Of dat nu Taylors *one best way* was, Fords lopende band of Demings Total Quality Management. Het systeem belichaamt de kennis. Het systeem is productief omdat het individuele personeelsleden in staat stelt te presteren zonder dat zij over veel kennis of vaardigheden beschikken. In feite betekende een medewerker die aan de lopende band stond en over meer dan gemiddelde vaardigheden beschikte een bedreiging voor de collega's en het systeem. In een op kennis gebaseerde organisatie is echter de productiviteit van het individuele personeelslid bepalend voor de productiviteit van het systeem. In een traditionele omgeving staat de arbeider ten dienste van het systeem; in een kennisomgeving dient het systeem het individu.

Er zijn meer dan voldoende kennisorganisaties die laten zien wat dat betekent. Een universiteit wordt groot als zij uitstekende docenten en onderzoekers weet aan te trekken en hen in staat stelt zich te ontwikkelen en buitengewone prestaties te leveren. Hetzelfde geldt voor een operagezelschap. De kennisorganisatie die nog het meest lijkt op een kennisbedrijf is het symfonieorkest waarin zo'n dertig verschillende instrumenten gezamenlijk een en dezelfde partituur ten gehore brengen. Een groot orkest bestaat niet uit fantastische musici; het zijn adequate musici die op de toppen van hun kunnen presteren. Als er een nieuwe dirigent voor een orkest komt te staan dat jarenlang geen duidelijke leiding kende en werd verwaarloosd, kan hij doorgaans niet meer doen dan de slordigste en meest ouderwetse orkestleden ontslaan. Meestal kan hij ook niet veel nieuwe orkestleden aannemen. Hij moet productief zien te maken wat hij geërfd heeft. Succesvolle dirigenten doen dit door nauw samen te werken met individuele orkestleden en orkestsecties. De orkestleden die in dienst zijn vormen een gegeven waar moeilijk aan te tornen valt, maar het verschil zit in de manier waarop met hen wordt omgesprongen.

Het belang van de productiviteit van kenniswerkers kan niet makkelijk overschat worden. Wat de doorslag geeft is dat kenniswerkers niet gerekend moeten worden tot de factor arbeid maar tot het kapitaal. En voor het rendement op kapitaal zijn de kosten niet van overheersend belang. Het gaat er niet om hoeveel kapitaal er is geïnvesteerd – dan zou de Sovjetunie met gemak 's werelds eerste economie zijn geworden. Waar het om gaat is de productiviteit van het kapitaal. De economie van de Sovjetunie is in elkaar gestort doordat het rendement van de investeringen zo ongelofelijk laag was. In veel gevallen bedroeg het minder dan eenderde van de investeringen in een markteconomie, en soms – zoals bij de investeringen in de agrarische sector ten tijde van Brezjnef – was het rendement zelfs negatief. De reden was duidelijk: niemand was geïnteresseerd in het rendement van het geïnvesteerde kapitaal. Daar was niemand voor aangesteld en daar werd niemand voor beloond.

Alle bedrijven in een markteconomie vertellen hetzelfde verhaal. In nieuwe bedrijfstakken kan marktleiderschap worden verworven en behouden dankzij innovatie. In een bestaande bedrijfstak onderscheidt het toonaangevende bedrijf zich echter vrijwel altijd van de andere door het rendement op kapitaal. Aan het begin van de twintigste eeuw ging General Electric de concurrentie aan met zijn eeuwige rivaal Westinghouse en met Europese bedrijven als Siemens. Dat deed het door innovaties in technologie en producten. Maar vanaf 1920, toen aan een periode van snelle technologische vernieuwing een eind was gekomen, concentreerde GE zich op het rendement op kapitaal om een beslissende voorsprong te kunnen nemen. Die voorsprong heeft GE niet meer afgestaan. De hoogtijdagen van Sears Roebuck lagen tussen 1920 en 1970. De basis daarvoor lag niet in de merchandising of het prijsbeleid, want op die terreinen deed een concurrent als Montgomery Ward het net zo goed. Sears dankte zijn leidende positie aan het feit dat het twee keer zoveel rendement had op zijn investeringen als andere Amerikaanse detailhandelaren. Daarom moeten kennisorganisaties zich net zo concentreren op het rendement van hun kapitaal, dat wil zeggen hun kenniswerkers.

Laat managers mensen managen

Uitzendbureaus en zeker personeelsdiensten stellen managers in staat zich te concentreren op het bedrijf in plaats van op de regelingen en formulieren die verband houden met het feit dat zij personeel hebben. Om daar meer dan een kwart van hun tijd aan te besteden is pure verspilling. Het is bovendien vervelend. Het leidt af en het corrumpeert en het enige wat ervan te leren valt is hoe je beter de boel kunt belazeren.

Bedrijven hebben dus reden genoeg om te proberen van dat hele personeelscorvee af te komen, of het nu is door het interne personeelsmanagement systematischer aan te pakken of door het uit te besteden aan uitzendbedrijven of personeelsdiensten. Daarbij dienen ze er wel voor te zorgen dat de relaties met het personeel niet onder druk komen te staan. Het belangrijkste voordeel van een vermindering van het papierwerk zou ook kunnen zijn dat er wat meer tijd overblijft voor persoonlijke contacten met het personeel. Managers zullen moeten leren wat een goed functionerend afdelingshoofd op een universiteit of een succesvolle dirigent allang weet: een uitzonderlijke prestatie wordt pas mogelijk als het potentieel in mensen gezocht is en als er tijd besteed is aan hun ontwikkeling. Om van een faculteit iets bijzonders te maken, moet er tijd worden geïnvesteerd in jonge onderzoekers en aanstaande hoogleraren. Alleen zo kunnen zij een bijzondere rol gaan spelen. Wil een orkest een topprestatie leveren, dan dient dezelfde passage in een symfonie keer op keer herhaald te worden, totdat ook de eerste klarinet zijn partij speelt zoals de dirigent wil. Op dezelfde manier kan een directeur van een industrieel researchlaboratorium successen boeken. Er is maar één manier om in de kennisindustrie aan de top te komen: tijd doorbrengen met talentvolle kennisspecialisten om elkaar over en weer te leren kennen. Men zal hun mentor dienen te zijn en naar hen moeten luisteren. Hen moeten uitdagen en aanmoedigen. Officieel zijn deze mensen misschien wel niet meer in dienst van het eigen bedrijf, maar ze vormen nog steeds een deel van het werkkapitaal; ze vormen zelfs de sleutel tot het succes. De relaties met werknemers zouden systematisch moeten worden aangepakt, en dat betekent dat ze onpersoonlijk zouden kunnen worden. Dat maakt de relaties met het personeel alleen nog maar belangrijker. Als personeelszaken worden uitbesteed, dienen managers nauw samen te werken met hun collega's bij de andere partij. De professionele ontwikkeling, de motivatie, de arbeidssatisfactie en de productiviteit van de kenniswerkers dienen centraal te staan. Van de prestaties van de kenniswerkers hangen tenslotte ook de prestaties en resultaten van de managers af. Dat is wellicht de belangrijkste les die te leren valt uit het verhaal over BP Amoco dat ik eerder vertelde.

Tweehonderdvijftig jaar geleden, ten tijde van de Industriële Revolutie, werd de grote onderneming geboren. Katoenfabrieken en spoorwegen beten het spits af. Zij waren echter nog altijd gebaseerd op handwerk. Handwerk stond centraal op het boerenbedrijf, bij het vervaardigen van artikelen, het overschrijven van cheques of het registreren van claims op levensverzekeringen: vijftig tot zestig jaar geleden was dat nog altijd het werk van de grote meerderheid. Zelfs in ontwikkelde landen. De opkomst van kenniswerk en de kenniswerker – om maar niet te spreken van hun opkomst als het kapitaal van een op kennis gebaseerde samenleving en economie – betekent minstens zo'n fundamentele verandering als de Industriële Revolutie tweehonderdvijftig jaar geleden. Er zal echter meer voor nodig zijn dan een paar nieuwe programma's en wat nieuwe gewoonten, hoe nuttig die op zich ook kunnen zijn. Ook onze maatstaven, onze normen en waarden, onze doelstellingen en beleidsprogramma's zullen vernieuwd moeten worden. Het zal waarschijnlijk heel wat jaren duren voor we zover zijn. Er zijn nu al genoeg op kennis gebaseerde organisaties om ons duidelijk te maken wat de uitgangspunten moeten zijn voor het managen van de werknemers in zo'n organisatie. We moeten ervan uitgaan dat werknemers misschien ons grootste risico vormen, maar dat mensen onze voornaamste troef zijn.

(2002)

9

Financiële dienstverlening: innoveren of tenondergaan

De wederopstanding de afgelopen veertig jaar van de Londense City als centrum van de financiele wereld, is net zo'n succesverhaal als dat van Silicon Valley. Tegenwoordig is de City lang niet zo machtig en belangrijk meer als in de eeuw voorafgaand aan de Eerste Wereldoorlog. Toch is de City vanwege zijn interbancaire markt nog steeds de centrale bankier van het mondiale banksysteem. Het is ook 's werelds grootste valutamarkt. Het geld voor financieringen op middellange termijn – bijvoorbeeld overbruggingskredieten of het financieren van fusies en acquisities – komt misschien uit Amerika, maar de gecompliceerde deals zelf worden doorgaans uitgewerkt in Londen. Zelfs op het gebied van langetermijn-financieringen zoals verzekeringen hoeft de City alleen New York voor zich te dulden.

Toch verwachtte niemand in 1960 de wederopstanding van de City. Na vijftig jaar van gestage achteruitgang werd de City door insiders als vrijwel irrelevant beschouwd.

In zekere zin werd de ommekeer mogelijk door twee gebeurtenissen die zich in Amerika voordeden onder de regering Kennedy. Ten tijde van de Cubaanse raketcrisis bracht de Russische Staatsbank zijn buitenlandse reserves over naar Londen, uit vrees dat de rekeningen in Amerika bevroren zouden worden. De Russen eisten wel dat hun tegoed in dollars werd aangehouden. Zo werd de eurodollar geboren, een supranationale munteenheid met een dollarnotering in Londen. Korte tijd later was de Amerikaanse regering zo onverstandig een hoge belasting in te voeren op rentebetalingen aan buitenlanders. Op die manier werd de florerende New Yorkse markt in buitenlandse obligaties in één klap van de kaart geveegd. Zo werd de euro-obligatie geboren. Ook die wordt doorgaans genoteerd in dollars, maar heeft Londen als thuisbasis.

De kans die door deze Amerikaanse gebeurtenissen ontstond werd gretig benut door Londense bankiers, maar vooral door S.G. Warburg, een firma die pas in de jaren dertig was opgezet door twee Duitse vluchtelingen. De firma had in 1959 in Londen een nieuwe vorm van zakenbankieren geïntroduceerd, door te beginnen met het financieren van acquisities. Tot die tijd was deze vorm van financiering vijfenzeventig jaar lang een Amerikaans specialisme geweest, sinds J.P. Morgan ermee begon in de jaren tachtig van de negentiende eeuw.

De sleutel tot de wederopstanding van de City als financieel centrum was echter de herovering van zijn negentiende-eeuwse positie als hoofdkwartier van financiële instellingen overal ter wereld. De negentiende-eeuwse City was een creatie van een eerdere Duitse immigrant genaamd Nathan Rothschild. Na de Napoleontische oorlogen vond hij de kapitaalmarkt uit, door de overheden van Europa en van het zojuist onafhankelijk geworden Latijns-Amerika van financiën te voorzien via schuldpapieren die uitgegeven waren in Londen en verhandeld werden aan de London Stock Exchange. Zijn voorbeeld werd snel gevolgd door andere immigranten: Schroder uit Duitsland, Hambros uit Noorwegen, Lazard uit Frankrijk en Morgan uit Amerika.

Deze nieuwkomers zetten Engelse bedrijven op en veel van hen werden Brits onderdaan. Maar samen met enkele van de oudere uit Engeland afkomstige zakenbankiers – zoals Baring Brothers, opgericht door de zoons van een Duitse immigrant in 1770 – creëerden ze een financieel centrum voor de hele wereld.

Deze immigranten kwamen niet alleen naar Engeland omdat dat de meest vooraanstaande negentiende-eeuwse handelsnatie was, maar ook omdat Londen al snel 's werelds eerste financiële expertisecentrum werd. (Dat heeft Walter Bagehot als eerste uiteengezet in zijn boek uit 1873, *Lombard Street.*) Dit was vooral te danken aan een uitvinding van Nathan Rothschild. De vijf gebroeders Rothschild waren elk gestationeerd in een ander Europees financieel centrum, maar ze traden op als één bedrijf met Nathan als algemeen directeur. Zo vormden zij een intranet avant la lettre. Hun beroemde postduiven kunnen beschouwd worden als een soort e-mail avant la lettre. Ondanks alles wat er deze eeuw is voorgevallen, is de City nog altijd het enige kenniscentrum ter wereld voor het zakenleven en de financiële en economische wereld. In de jaren zestig en zeventig was het opnieuw de City die als supranationaal kenniscentrum financiële immigranten uit alle delen van de wereld aantrok. In juridische zin waren deze kantoren in Londen volledig eigendom van een Amerikaans, Zwitsers, Nederlands of Duits moederbedrijf. Economisch gezien functioneerden deze vestigingen echter zelfstandig en zo goed als autonoom, min of meer alsof ze zelf hoofdkantoren waren. Op Wall Street zegt men dat de kantoren van Goldman Sachs en Citibank in New York zich vooral bezighouden met activiteiten in het eigen land. De internationale activiteiten worden goeddeels ondernomen vanuit Londen.

Een verdergaande omwenteling

De wedergeboorte van de City is echter slechts het eerste hoofdstuk van het succesverhaal van de financiële dienstverlening in de afgelopen veertig jaar. Dat dit een nieuwe bedrijfstak is, blijft grotendeels verborgen door het feit dat veel van de grootste firma's oude, uit de negentiende eeuw stammende namen dragen. Maar het Goldman Sachs van 1990 is een heel ander bedrijf dan dat van 1899, van 1929 of zelfs 1959. Hetzelfde geldt voor J.P. Morgan, Merrill Lynch, First Boston, Citibank, GE Capital en soortgelijke organisaties. Zelfs in 1950 waren dit nog allemaal nationaal opererende organisaties.

Het is misschien illustratief dat toen ik voor de eerste keer uit Engeland naar de Verenigde Staten kwam, midden jaren dertig, slechts twee van de grootste banken van New York – Manufacturers en Guaranty Trust, inmiddels allang verdwenen door fusies – een manager hadden met buitenlandse handel in zijn portefeuille. Geen van beiden werd ooit vice-president. Het enige wat deze twee *assistent VPs International* te doen kregen was het kredieten verstrekken aan Amerikaanse exporteurs en vreemde valuta aan importeurs. De rest werd overgelaten aan een relatie in het andere land.

Zelfs de paar financiële instellingen die toen vestigingen in het buitenland hadden – Deutsche Bank en de huidige Citibank hadden toen vestigingen in Zuid-Amerika – gebruikten deze kantoren vooral ten dienste van de cliënten in het eigen land. Aan het begin van de jaren vijftig sprak ik eens met de directeur van een van de meest welvarende Zuid-Amerikaanse vestigingen van de huidige Citibank. 'Onze eerste taak,' zei hij toen, 'is om voor het Amerikaanse bedrijfsleven te zijn wat American Express is voor de Amerikaanse toerist.'

Vandaag de dag opereren al deze instellingen op mondiale schaal en over de nationale grenzen heen. Ze bevinden zich in iedere belangrijke zakenstad. Iedere vestiging is als zodanig een hoofdkantoor. Hun hoofddoel is niet langer om de klanten van het moederbedrijf in het thuisland te dienen, hun doel is zowel in het nationale als het internationale zakenleven een belangrijke speler te worden.

Even ingrijpend zijn de veranderingen in de bedrijfstak zelf. Deze financiële instellingen zijn geen commerciële banken meer noch investeringsbanken, handelsbanken of beurshandelaren. Dat waren de typische financiële activiteiten van rond 1950. Sommige instellingen bieden deze traditionele diensten nog wel aan, maar ze maken er meestal niet veel werk meer van. De belangrijkste moderne financiële producten bestonden vroeger nauwelijks. Denk maar aan het managen en financieren van fusies, bedrijfsovernames en -verkopen; het financieren van het wereldwijd leasen van installaties en van de expansie van producerende en commerciële bedrijven. En er was niets wat maar in de verste verte leek op de enorme bedrijvigheid rond valuta die te danken is aan de huidige handel en investeringen op mondiale schaal.

De moderne financiële dienstverlening begon met de wedergeboorte van de Londense City in de vroege jaren zestig. Vanaf 1970 verspreidde ze zich over de hele wereld. Ondanks, en grotendeels dankzij dit succes zal de bedrijfstak zichzelf grondig moeten heroriënteren, als ze tenminste in de eenentwintigste eeuw wil blijven floreren. De producten die verantwoordelijk waren voor deze groei – de eurodollar en de euro-obligatie – kunnen daar niet langer voor zorgen. De innovaties van veertig jaar geleden zijn inmiddels standaardartikelen geworden, wat inhoudt dat ze steeds minder winst opleveren of zelfs verliesgevend zijn. Voor iedere deal bieden zich tal van gegadigden aan. Wie de deal sluit verdient misschien veel geld, ondanks de hoge kosten, maar de anderen hebben alleen maar kosten. Vandaar dat de vergoedingen die cliënten betalen een steeds kleiner deel vormen van de inkomsten van de grootste instellingen, ongeacht of die Amerikaans, Duits, Nederlands of Zwitsers zijn. Hun inkomsten halen de instellingen uit het handelen voor eigen rekening in aandelen, obligaties, derivaten, valuta en grondstoffen.

Iedere financiële dienstverlener moet handelen voor eigen rekening. Dat is een normaal onderdeel van het managen van de bedrijfsfinanciën. Doel ervan is risico's te beperken, bijvoorbeeld door het overbruggen van de periodes tussen de data waarop aan- en verkoopcontracten aflopen. Afgezien hiervan kan het handelen voor eigen rekening winstgevend zijn. Er worden niet al te veel risico's gelopen en de instelling maakt gebruik van haar kennis van de markt. Wanneer handelen voor eigen rekening echter de belangrijkste activiteit wordt, is er geen sprake meer van handel maar van gokken. De gokker kan nog zo slim zijn, de wetten van de kansrekening garanderen dat hij uiteindelijk alles zal verliezen wat hij gewonnen heeft, en nog wel wat meer ook.

Dit gebeurt nu al bij de toonaangevende financiële instellingen. Bijna allemaal hebben ze substantiële handelsverliezen gerapporteerd. In sommige gevallen waren de verliezen zo groot dat het bedrijf eraan tenonderging. Barings is daarvan een voorbeeld. Het was 's werelds oudste en meest gerespecteerde investeringsbank. Wat ervan over is, is nu eigendom van een Nederlandse financiële groep. Soortgelijke verliezen hebben de New York's Bankers Trust ertoe gedwongen zichzelf te verkopen aan Deutsche Bank. NYBT was niet zo lang geleden een van de meest gerespecteerde internationale banken. Verschillende Japanse financiële reuzen konden hun handelsverliezen alleen overleven nadat Japan Inc. te hulp was geschoten. Maar zelfs Japan Inc. kon Yamaichi, een van de grootste beurshandelaren in Tokio, niet redden. De verliezen werden veroorzaakt door de eigen handel in onroerend goed. In al deze gevallen verklaarde de bedrijfstop niet op de hoogte te zijn geweest van de gokpraktijken. De gokkende handelaar zou de bedrijfsreglementen hebben geschonden. In de eerste plaats kan niet alles worden afgeschoven op het toeval. Als de fiasco's zo talrijk zijn, kunnen ze niet meer tot de uitzonderingen gerekend worden. Ze wijzen op een manco in het systeem. Bij al deze schandalen lijkt het topmanagement zorgvuldig de andere kant op te hebben gekeken zolang de handel winstgevend was of leek te zijn. Totdat de verliezen zo groot werden dat ze niet langer verborgen konden blijven, was de gokkende handelaar een held en werd hij bedolven onder het geld.

Geen enkele bedrijfstak kan overleven, laat staan floreren, wanneer er niet betaald wordt voor de diensten aan externe klanten. De klanten van financiële instellingen die handelen voor eigen rekening zijn echter andere financiële instellingen die handelen voor eigen rekening. Hier is sprake van een *zero-sum game,* waarbij de winst van het ene bedrijf het verlies van het andere bedrijf impliceert. Er blijft niets over om de onkosten van beide partijen te dekken.

Als het gaat om financiële dienstverlening is er alleen nog in Japan echte groei mogelijk. Het financiële systeem van Japan dateert nog hoofdzakelijk van voor 1950, en het is dan ook grondig verouderd. Japan laat nu langzaam buitenlanders toe om moderne financiële diensten aan te bieden. Zodra zij werden toegelaten, boekten de buitenlanders – vooral Amerikanen maar ook Duitsers, Fransen en Britten – snel succes en werden zij marktleider. Zo werden zij de spil waarom de valutahandel draait. Buitenlandse bedrijven nemen ook in toenemende mate de investeringen buiten Japan van Japanse pensioenfondsen en verzekeraars voor hun rekening. Misschien wordt hun binnenkort toegestaan zelf Japanse pensioensfondsen te gaan beheren. Dankzij de aankoop van Yamaichi kan het Amerikaanse Merrill Lynch nu zowel particuliere als institutionele beleggers in Japan van dienst zijn.

Maar Japan zou wel eens het laatste succes kunnen zijn van de financiële dienstverlening in haar huidige vorm. Nu Europese en Aziatische bedrijven hun herstructurering versnellen, zou de vraag naar hun producten de komende paar jaar nog kunnen toenemen, maar het is niet waarschijnlijk dat de winstgevendheid van de bedrijfstak terugkeert naar het peil van vroeger. De traditionele producten en diensten bestaan al zo lang dat het allesbehalve ontbreekt aan aanbieders. Er is dus steeds minder sprake van echte differentiatie tussen de verschillende dienstverleners. De klanten weten dit en gaan in toenemende mate shoppen om de gunstigste voorwaarden te bedingen.

Tijd om te innoveren

Het is duidelijk waarom de financiële dienstverlening in de problemen zit. De grote financiële instellingen zijn in de afgelopen dertig jaar niet één keer met een belangrijke innovatie gekomen.

Tussen 1950 en 1970 verscheen de ene na de andere innovatie. De eurodollar en de euro-obligatie zijn daar maar twee voorbeelden van. De institutionele investeerder dook op – in het leven geroepen door de oprichting van het eerste moderne pensioenfonds. Dat was in 1950, en het pensioenfonds was dat van GM. Daardoor ontstond een stortvloed aan bedrijfspensioenfondsen, maar het had ook tot gevolg dat de tot dan toe marginale beleggingsmaatschappij opschoof naar het centrum van de financiële wereld. Binnen een paar jaar leidde dit in New York tot de oprichting van Donaldson, Lufkin en Jenrette: het eerste bedrijf dat diensten ging verlenen aan de nieuwe institutionele beleggers. In die tijd kwam Felix Rohatyn in New York ook met de investeringsbankier als initiatiefnemer en manager van overnames, en dan met name vijandelijke overnames.

In de jaren zestig werd ook de creditcard uitgevonden. Nu is dat een alledaags en wettig betaalmiddel, zeker in de ontwikkelde wereld. Het is grotendeels aan de creditcard te danken dat commerciele banken hebben kunnen overleven, ondanks het feit dat veel van hun traditionele activiteiten zoals het verstrekken van commerciële leningen zijn weggesijpeld naar de nieuwe financiële instellingen. De overige innovaties waren allebei te danken aan Walter Wriston, geboren in 1919. In 1967 werd hij hoofd van Citibank. Vrijwel onmiddellijk veranderde hij zijn bedrijf van een Amerikaanse bank met vestigingen in het buitenland in een wereldwijd opererende bank met tal van hoofdkantoren. Een paar jaar later opperde hij de idee dat bankieren niet om geld draait maar om informatie. Voor mij is dat het begin van wat ik *de bedrijfstheorie voor de financiële dienstverlening* noem.

De afgelopen dertig jaar waren zogenaamde 'wetenschappelijke' derivaten de enige innovaties. Deze financiële instrumenten zijn echter niet bedoeld als dienstverlening aan klanten. Ze dienen de speculaties van de handelaar winstgevender te maken, en tegelijkertijd minder risicovol. Dat is ongetwijfeld een schending van de fundamentele regels van het risico, en het is dan ook niet waarschijnlijk dat deze opzet zal slagen. Het is zelfs onwaarschijnlijk dat de derivaten beter zullen werken dan de al even 'wetenschappelijke' systemen van de verstokte gokker die probeert de casino's van Monte Carlo of Las Vegas te laten springen. Een flink aantal handelaren is daar inmiddels achter gekomen.

Verder is er alleen maar sprake geweest van kleine verbeteringen. Wat al tamelijk goed werd gedaan, kan nu een klein beetje beter worden gedaan. Gevolg daarvan is dat de producten van de bedrijfstak standaardartikelen zijn geworden en dat ze ze steeds minder winstgevend en steeds moeilijker te slijten zijn.

Dit had natuurlijk voorspeld kunnen worden aan de hand van de economische theorie en de ervaring. In feite vormt het traject dat de financiële industrie heeft afgelegd een standaardvoorbeeld van de twee klassieke innovatietheorieën: die van de Franse econoom J.B. Say in zijn boek uit 1803, *Traité de l'économie politique*, en die van de Oostenrijker-Amerikaan Joseph Schumpeter in zijn boek uit 1912, *Theorie der Wirtschaftlichen Entwicklung*.

Say kwam aan het begin van de Industriële Revolutie met een verklaring voor het feit dat heel veel katoenfabrieken gebruik maakten van nieuwe uitvindingen als de spinmachine en de stoommachine en ze toch allemaal enorm winstgevend waren. Hij toonde aan dat dergelijke uitvindingen aanvankelijk een vraag creëren waaraan eenvoudig niet te voldoen valt. Hoe meer bedrijven er in dat eerste stadium zijn, hoe winstgevender ze zijn. Schumpeter toonde een eeuw later aan dat zo'n aanvangsperiode niet erg lang kan duren, om de simpele reden dat de hoge winsten van de pionier al snel te veel navolgers aantrekken. De industrie verandert dan van een die zeer winstgevende producten en diensten maakt en verkoopt in een die artikelen maakt en verkoopt zonder dat er winst wordt gemaakt. Dat gaat zelfs op als de vraag hoog blijft.

Voor de financiële dienstverlening zijn maar drie scenario's denkbaar. Het gemakkelijkste en meest gebruikte is het vasthouden aan hetgeen ook in het verleden heeft gewerkt. Dit scenario impliceert echter een gestage neergang. De bedrijfstak kan zeker overleven; tenslotte bestaan er nog altijd katoenfabrieken. Maar hoe hard er ook gewerkt wordt, de neergang zal zich voortzetten.

De tweede mogelijkheid is dat de bedrijfstak vervangen wordt door innoverende buitenstaanders en nieuwkomers. Schumpeter spreekt in dit verband van creatieve destructie. Dit is wat vijfendertig jaar geleden de Londense City overkwam. Met uitzondering van Rothschild en Schroder is niet één van de leidende bedrijven uit de City van de jaren vijftig nog in Engelse handen. Zelfs Warburg niet. Stuk voor stuk zijn ze eigendom geworden van buitenlandse firma's: Amerikaanse, Nederlandse, Zwitserse, Duitse en Franse.

Momenteel is de eerste mogelijkheid geen optie voor de financiële bedrijfstak. Op sociaal, economisch, technologisch en politiek gebied verandert er buitengewoon veel, en een prominente maar kwakkelende bedrijfstak kan niet doen alsof dat allemaal buiten haar om gaat. Wie erin slaagt een deel van de lucratieve handel van de worstelende giganten af te pakken, kan heel veel geld verdienen. Dit geldt zeker voor de instellingen die veel meer aandacht besteden aan de handel dan aan hun legitieme bedrijfsactiviteiten. Websites en e-commerce maken het voor buitenstaanders heel gemakkelijk om het speelveld te betreden als ze iets te bieden hebben wat echt nieuw en anders is.

Volgens het tweede scenario verliezen de instellingen hun positie, en waarschijnlijk tamelijk snel ook, aan innoverende buitenstaanders. Ook dit is een mogelijkheid. Daarnaast bestaat er een derde scenario: ze gaan innoveren en creatieve destructie in de praktijk toepassen.

Er bestaan kansen genoeg voor nieuwe en zeer winstgevende financiële diensten. De grootste en waarschijnlijk meest winstgevende mogelijkheid vraagt zelfs geen enkele innovatie, alleen hard werken. Deze mogelijkheid is ontstaan door demografische ontwikkelingen. Instellingen zouden kunnen inspelen op de financiële behoeften van het snel groeiende contingent welvarende ouderen in ontwikkelde en opkomende landen. Aangezien deze mensen niet echt rijk zijn, is het geen aantrekkelijke groep klanten voor de traditionele financiële instellingen. Hun individuele aankopen zijn relatief bescheiden. Zelden gaat het om meer dan 30 tot 50.000 dollar per gezin per jaar. Het bedrag dat zij als groep hebben uit te geven, is echter een veelvoud van waar 's werelds superrijken – inclusief oliesjeiks, Indonesische maharadja's en software miljardairs – over kunnen beschikken.

Deze markt werd dertig jaar geleden ontdekt door Edward Jones. Die had toen een minuscule en totaal onopvallende regionale beleggingsfirma in St. Louis, Missouri. Toen hij deze markt ontdekte, besloot Jones al zijn andere activiteiten te laten vallen en zich voortaan te beperken tot de dienstverlening aan individuele beleggers uit de middenklasse. Het ging om eigenaren van kleine bedrijven, middenmanagers, succesvolle professionals, etcetera. En hij besloot niets te verkopen wat niet paste bij deze groep. Edward Jones is nu een vooraanstaand bedrijf dat altijd zeer winstgevend is geweest. Dat deze markt niet beperkt blijft tot de VS heeft Edward Jones aangetoond toen het bedrijf een paar jaar geleden naar Engeland ging en kantoren opende in kleine steden in de buurt van Londen. Hoewel het totaal onbekend was en hij de activiteiten, beleggingen en klanten op een totaal nieuwe manier benaderde, was er onmiddellijk respons.

Dit soort klanten vormt de snelst groeiende bevolkingsgroep in alle ontwikkelde en opkomende landen. Naast Noord-Amerika betreft het Europa, de dichtbevolkte landen van Latijns-Amerika, Japan en Zuid-Korea, maar ook de verstedelijkte gebieden van het Chinese vasteland. Dat is bijna de helft van de wereldbevolking.

Deze markt zou in de eenentwintigste eeuw wel eens de opvolger kunnen worden van 's werelds eerste financiële massamarkt: de levensverzekering. Door financiële bescherming te bieden tegen het grote achttiende- en negentiende-eeuwse risico van een voortijdige dood, werd de levensverzekering de grootste financiële bedrijfstak van die eeuw. Ze groeide wereldwijd gedurende meer dan 150 jaar, tot in 1914. Financiële bescherming bieden tegen het risico niet tijdig te sterven, zou wel eens de belangrijkste en meest winstgevende financiële activiteit van de volgende eeuw kunnen worden.

Nog een voorbeeld, maar nu een waarbij de activiteit nog moet worden ontwikkeld. Ik denk aan outsourcen en financieel management voor middelgrote ondernemingen. Met uitzondering van Japan en Zuid-Korea worden alle ontwikkelde economieën gedomineerd door middelgrote bedrijven. Dat geldt zelfs voor opkomende economieën als Latijns-Amerika en Taiwan. De ruggengraat van de Duitse economie wordt gevormd door 80.000 middelgrote bedrijven. Hetzelfde is het geval in Amerika, Frankrijk, Nederland, Italië, Brazilië en Argentinië.

Middelgrote bedrijven beschikken doorgaans over voldoende kritische massa op het vlak van producten, technologie, marketing en klantenservice. Op het terrein van het financiële management zijn de meeste bedrijven echter niet groot genoeg om de benodigde deskundigheid in huis te kunnen halen. Het rendement op hun kapitaal is bijvoorbeeld veel te laag en ze beschikken over te weinig of over te veel kasgeld. Een toenemend aantal besteedt nu al de dataverwerking en informatiesystemen uit. Net als de facilitaire dienst, het personeelsmanagement en zelfs een flink deel van het onderzoek en de productontwikkeling. Hoe lang zal het nog duren voor ze het financiële beheer uit handen geven?

Het instrumentarium daarvoor is al volledig ontwikkeld. Voorbeelden zijn EVA (*economic value analysis*) en het voorspellen en beheren van de cashflow. De managementbehoeften van deze bedrijven zijn voorspelbaar. Wereldwijd vallen ze in een klein aantal categorieën die bekend zijn bij iedere ervaren zakenbankier. Er zou wel eens enorm veel te verdienen kunnen zijn met het opzetten van een bedrijf dat deze middelgrote bedrijven voorziet van financieel management. Dat geld zou niet alleen van honoraria afkomstig zijn, maar ook van de substantiële winsten die voortvloeien uit het zeker stellen van de financiële behoeften van de klanten. Men zou beleggingsproducten kunnen ontwikkelen die voor de oudere belegger uit de middenklasse bijzonder aantrekkelijk zijn.

Een laatste voorbeeld van een mogelijke kans voor nieuwe financiële dienstverleners: financiële instrumenten die een bedrijf beschermen tegen catastrofale valutaverliezen door van de risico's normale bedrijfskosten te maken. Dat zou moeten gebeuren tegen een betaalbare, vaste premie van bijvoorbeeld maximaal 3 tot 5 procent van het uitstaande bedrag. De meeste kennis die voor een dergelijk instrument – half verzekering half belegging – nodig is, is beschikbaar: de actuariële instrumenten om de groepsgrootte en het risicoprofiel te bepalen, de economische kennis en de data om te kunnen vaststellen welke munten gevaar lopen, en zo meer.

De talloze middelgrote bedrijven die plotseling merken dat ze blootgesteld zijn aan een chaotische wereldeconomie, hebben daaraan grote behoefte. Met uitzondering van de allergrootste is geen enkel bedrijf in staat zich tegen deze risico's te beschermen. Dat wordt pas een mogelijkheid als de bedrijven zouden besluiten samen te werken. Dan zouden de risico's berekenbaar worden. Een financiële dienstverlener voor middelgrote bedrijven zou voor welvarende particulieren de mogelijkheid kunnen openen in zijn portefeuille te beleggen.

Dit zijn maar voorbeelden, en ze zijn hypothetisch, met uitzondering van de nu al bestaande markt van welvarende ouderen. Als deze mogelijkheden ontwikkeld zouden worden, zou er een geweldige invloed van kunnen uitgaan op bestaande financiële instellingen. Het uitbesteden van het financiële management van middelgrote bedrijven zou in korte tijd een groot deel van de meest profijtelijke activiteiten van financiële dienstverleners als GE

Capital overbodig kunnen maken. Door de enorme valutarisico's verzekerbaar te maken zou het grootste deel van de deviezenhandel door bestaande instellingen – en zeker hun hectische valutahandel en speculatie in afgeleide producten – overbodig kunnen worden.

Na vijfentwintig jaar lang de middenklasse als investeringsmarkt te hebben afgewezen, erkennen sommige traditionele Amerikaanse financiële instellingen nu het bestaan en het belang ervan. Merrill Lynch doet bijvoorbeeld erg zijn best. Of dat wat uithaalt, valt nog te bezien. Zeer waarschijnlijk is succes op deze markt alleen mogelijk wanneer men zich er volledig op concentreert. Ook in veel andere segmenten van de detailhandel is dat het geval. Merrill Lynch spant zich in om deze zeer onderscheiden markt te bedienen en tegelijk een groot aantal andere en doorgaans zeer traditionele diensten aan te bieden.

Maar buiten deze markt, die overigens al dertig jaar bestaat, zijn er geen tekenen die erop wijzen dat een van de grote financiële dienstverleners ook maar experimenteert met deze potentieel nieuwe bedrijfsactiviteiten of met iets anders wat tot innovatie zou kunnen leiden. Deze nieuwe activiteiten vragen lange jaren van geduldig en nauwgezet werk en dat past misschien niet bij de mentaliteit die momenteel de norm lijkt te zijn bij de grote en dominante financiële instellingen. Zeer waarschijnlijk wordt er nu al aan dit soort nieuwe financiële producten gewerkt. Eenmaal geïntroduceerd zullen ze de huidige financiële producten vrijwel zeker vervangen of van hun winstgevendheid beroven.

Het is misschien nog niet te laat voor de huidige grote financiële dienstverleners om weer innovatief te worden. Maar het is wel vijf voor twaalf.

(1999)

10

Het kapitalisme voorbij?

Recentelijk hebben enkele van de grootste voorstanders van het kapitalisme, zoals uzelf en George Soros, zich ontwikkeld tot de grootste critici. Wat is uw kritiek?

Ik ben voorstander van de vrije markt. Hoewel die niet al te best werkt, werkt iets anders helemaal niet. Maar ik heb ernstige bedenkingen bij het kapitalisme als systeem, omdat het de economie verafgoodt als de alpha en omega van het bestaan. Het is ééndimensionaal.

Ik heb managers vaak voorgehouden dat het hoogste salaris maximaal het twintigvoudige mag zijn van het laagste. Anders krijg je te maken met wrok en neemt de arbeidsmoraal af. In de jaren dertig maakte ik me er al zorgen over dat de ongelijkheid, die veroorzaakt was door de Industriële Revolutie, zoveel wanhoop zou oproepen dat fascisme een kans zou krijgen. Helaas heb ik gelijk gekregen.

Vandaag de dag vind ik het zowel maatschappelijk als moreel onaanvaardbaar, wanneer managers voor zichzelf enorme belonin-

---

Dit vraaggesprek vond plaats in het kantoor van de auteur in Claremont, Californië. De interviewer was Nathan Gardels, redacteur van *New Perspectives Quarterly.* De auteur droeg de onderwerpen aan. De definitieve tekst is door de auteur geschreven op basis van een ruwe versie. Het interview verscheen in 1998 in het lentenummer van *New Perspectives Quarterly.*

gen reserveren maar tegelijkertijd werknemers ontslaan. Dit wekt alleen maar minachting bij lagere managers en werknemers, en onze maatschappij zal er een hoge prijs voor moeten betalen.

In feite worden hele dimensies van het menselijk bestaan niet meegenomen in de kapitalistische economie. Het is niet goed voor een samenleving als zo'n beperkt systeem alle andere aspecten van het leven domineert. Als we naar de markt kijken, zien we dat de liberale economische theorie tot diverse serieuze problemen leidt.

Om te beginnen gaat de theorie ervan uit dat de markt homogeen is. In werkelijkheid bestaan er drie elkaar overlappende markten, die elkaar in het algemeen niet beïnvloeden: een internationale markt voor geld en informatie, nationale markten en lokale markten.

Het meeste geld in de international economie is natuurlijk alleen maar virtueel geld.

De interbancaire markt in Londen heeft per dag een groter handelsvolume in dollars dan er nodig is om een jaar lang alle economische transacties te financieren.

Dit geld heeft geen functie. Het kan onmogelijk tot winst leiden, aangezien het geen enkel doel dient. Het heeft geen koopkracht. Het is puur speculatief en leidt gemakkelijk tot paniek, terwijl het voortdurend heen en weer wordt geschoven terwille van een minieme winst.

Daarnaast heb je de grote nationale economie die los staat van de internationale handel. Ongeveer 24 procent van de economische activiteiten in de VS speelt zich af op de internationale markt. In Japan is dat maar 8 procent.

Ten slotte heb je de lokale economie. Het ziekenhuis hier vlakbij biedt zorg op hoog niveau en het is erg concurrerend. Maar het is geen concurrent van een ziekenhuis in Los Angeles, veertig kilometer verderop. De feitelijke markt voor een Amerikaans ziekenhuis valt binnen een straal van vijftien kilometer, omdat mensen nu eenmaal graag in de buurt zijn van hun zieke moeder.

Markten functioneren tegenwoordig bovendien op een andere manier. Ergens in de afgelopen honderd jaar heeft het zwaartepunt van de economie zich verplaatst. In de negentiende eeuw, met zijn stoom en staal, genereerde het aanbod de vraag. Sinds de Depressie zijn de bordjes echter verhangen: bij traditionele producten – van huizenbouw tot auto's – moet de vraag aan het aanbod voorafgaan. Momenteel gaat dat echter nog niet op voor informatie en elektronica, die zelf de vraag stimuleren.

Achter deze omschrijving van diverse markten ligt een fundamenteler probleem. De markttheorie gaat uit van een evenwicht tussen vraag en aanbod. Dat is de reden dat het geen plaats biedt aan veranderingen, laat staan aan innovatie.

Joseph Schumpeter heeft al in 1911 vastgesteld dat economische activiteit eerder gekenmerkt wordt door 'onbalans in beweging'. Een dergelijk gebrek aan evenwicht wordt veroorzaakt door een proces van creatieve destructie: nieuwe markten met nieuwe producten en een nieuwe vraag worden ontwikkeld ten koste van de oude.

Uitkomsten van marktbewegingen kunnen niet verklaard worden door de theorie. De markt is instabiel, en helemaal geen voorspelbaar systeem. Dat betekent een tamelijk ernstige belemmering voor een theorie over menselijk gedrag.

We weten alleen dat een evenwicht op de lange termijn het resultaat is van een groot aantal kleine aanpassingen. Deze zijn het resultaat van bewegingen in de markt.

Correcties op de korte termijn vormen de kracht van de markt. De feedback die je via de prijzen krijgt, weerhoudt je ervan tijd te verspillen en lukraak hulpbronnen in te zetten.

Vroeger bestond het idee dat als je maar lang genoeg doorging, je wel ergens terecht zou komen. De markt zegt dat, als je in vijf weken nog niets hebt bereikt, je beter de zaken anders kunt aanpakken, of iets totaal anders kunt gaan doen.

Verder dan de korte termijn reikt het nut van de markt niet. Ik heb mijn buik vol van planningsonderzoek voor grote bedrijven. Dat gaat niet over feiten maar over geloof. Als de cfo weer eens vraagt: 'Wat zal dit opleveren?' is er maar één antwoord mogelijk: 'Dat weten we over tien jaar.'

Jaren geleden zei u dat pensioenfondsen de eigenaren zijn van de Amerikaanse economie. U sprak van 'kapitalisme zonder kapitalis-

ten', aangezien de instellingen die de pensioenen van de werknemers beheren eigenaar zijn van de productiemiddelen. Deze spreiding van welvaart is zelfs nog verder voortgeschreden door de explosieve toename van beleggingsmaatschappijen. Meer dan 51 procent van de Amerikanen bezit tegenwoordig aandelen. Zijn we in het massakapitalisme terechtgekomen of gaat het om postkapitalisme?

Als je het postkapitalisme noemt, zeg je alleen maar dat je niet weet hoe je het moet noemen. Je kunt het ook geen economische democratie noemen, aangezien een vorm van georganiseerd bestuur ontbreekt. Zeker is wel dat het om een totaal nieuw fenomeen gaat.

Mijn tuinman, die zeker niet rijk is, gebruikt de *Wall Street Journal* die ik iedere week voor hem klaarleg als richtlijn voor zijn beleggingen in aandelen.

Een vriend van me werkt bij een regionale financiële dienstverlener met twee miljoen klanten. Hij vertelde me onlangs dat de gemiddelde investeerder zijn jaarlijkse inleg in de beleggingsmaatschappij verhoogd heeft van 10.000 tot 25.000 dollar per jaar.

Misschien is het wel zo dat kapitalisten er niet meer toe doen. Vroeger, toen men nog opkeek naar de rijken, had je duidelijke meningen. Volgens de een had je kapitalisten nodig voor de vorming van kapitaal, volgens de ander buitten de rijken juist iedereen uit. Daar hoor je tegenwoordig niets meer van.

Ooit was J.P. Morgan belangrijk voor de Amerikaanse economie. Op het hoogtepunt van zijn macht beschikte hij over voldoende liquide middelen om gedurende vier maanden in de kapitaalbehoeften van de VS te voorzien.

Als we rekening houden met de inflatie had J.P. Morgan waarschijnlijk minder dan eenderde van wat Bill Gates tegenwoordig bezit. Zoveel persoonlijke rijkdom heeft de wereld niet meer gezien sinds de jaren van de grote Khan van China. Maar de 40 miljard van Gates zouden de Amerikaanse economie nog geen dag draaiende kunnen houden.

Bill Gates is belangrijk omdat hij Microsoft heeft opgebouwd en omdat zijn software op onze pc draait. Als rijke is hij zelf irrelevant. De wijze waarop hij zijn geld uitgeeft of verkwist heeft geen invloed op de Amerikaanse economie. Het is een druppel in de oceaan. De rijkdom die nu van belang is in de VS is die van de tientallen miljoenen kleine investeerders.

Het staatssocialisme is er niet in geslaagd welvaart te brengen of op een effectieve manier voor sociale voorzieningen te zorgen. Het kapitalisme daarentegen negeert naast de economische dimensie al het overige. En zoals u zelf zegt, is de markt er alleen voor de korte termijn. Hoe moet onze maatschappij zich dan op de lange termijn redden?

Het is bekend dat er drie sectoren nodig zijn en geen twee. Naast de overheid en het bedrijfsleven hebben we als derde de burgermaatschappij nodig.

Ik geloof echt dat er een alternatief is voor enerzijds de socialistische illusie en anderzijds de pure markt. Het gespreide bezit van de economie via pensioenfondsen en beleggingsmaatschappijen kan gecombineerd worden met de derde, de non-profitsector. Daarin staan de behoeften van de gemeenschap centraal, van gezondheidszorg tot leerlingbegeleiding.

Sommige van mijn republikeinse vrienden hebben het idee dat de overheid helemaal niet nodig is, maar dat is pure dwaasheid. Toch is dat een begrijpelijke reactie. Na de oorlog ontstond het idee dat de overheid aan alle behoeften van de gemeenschap zou kunnen voldoen. Inmiddels weten we dat de overheid, net als ieder ander instrument, sommige dingen wel kan en andere niet. Ze is belangrijk als het bijvoorbeeld gaat om defensie en het bijeenbrengen van de financiële middelen voor de infrastructuur via belastingen.

Maar net zoals het mij niet zal lukken mijn teennagels te knippen met een hamer, is de overheid niet in staat de problemen van de samenleving op te lossen. Alles wat een overheid doet, moet zij doen op nationaal niveau. Ze kan niet experimenteren of zich aan de lokale omstandigheden van een gemeenschap aanpassen.

De overheid heeft de neiging om een probleem op een standaardmanier te definiëren en vervolgens de oplossing te monopoliseren. Maar wat werkt in St. Louis werkt meestal niet in Kansas City, laat staan in New York of Los Angeles.

Dankzij de fixatie op het winstmotief heeft de markt er simpelweg geen enkel belang bij om sociale problemen aan te pakken. Bovendien beschikt ze niet over de middelen.

Hoewel de meeste mensen me vooral zien als managementconsultant voor het bedrijfsleven, heb ik de afgelopen vijftig jaar veel advieswerk voor non-profitorganisaties gedaan. Vijftien jaar geleden waren er nog maar 300.000 non-profitinstellingen, daaronder bekende als de American Heart Association en de American Lung Association. Nu zijn er meer dan een miljoen.

Ik heb ook geholpen een stichting op te zetten voor non-profitmanagement. De leiding was in handen van de vroegere landelijk directeur van de Girl Scouts. Het idee erachter was simpel. het bestuur van dit soort organisaties is niet slecht maar feitelijk afwezig. Omdat de discipline van de markt ontbreekt, hebben ze een andere leidraad nodig: een nauw omschreven missie en een oriëntatie op resultaten.

Een van de problemen waar onze stichting voor kwam te staan, was de overrompelende vraag uit landen als Japan, Brazilië, Argentinië en Polen. Die hebben instellingen voor de sociale sector allemaal heel hard nodig. Je kunt denken aan verplegersorganisaties, onderdak voor mishandelde vrouwen en scholing voor boeren in Patagonië.

Hoe komt het dat de sociale sector in Japan groeit terwijl de gemeenschap daar juist altijd zo sterk is geweest?

Twee dingen. Ten eerste valt de traditionele gemeenschapsstructuur uiteen. Ten tweede vervelen de geschoolde vrouwen zich. Ze hebben een paar jaar gewerkt en hebben daarna kinderen gekregen die vervolgens naar school zijn gegaan.

Welke sociale problemen kent Japan? Als je in Japan vijfenvijftig wordt, word je in wezen gedumpt, ook al heb je waarschijnlijk nog dertig jaar te leven. Om zichzelf bezig te houden gaan de ouderen zich organiseren in clubs, van sport tot ikebana.

Een van de meest succcesvolle nieuwe initiatieven in Japan behelst het bezorgen van maaltijden bij ouderen die niet meer het huis uit kunnen. De jonge mensen zorgen niet meer voor hen. Toch heeft de overheid het opzetten van deze maaltijdendienst tegengewerkt, omdat het impliceerde dat het met de ouderen in Japan niet zo goed ging. Het is een smet op het blazoen van Japan. Maar het is wel een feit.

Er bestaat ook grote behoefte om scholieren van en naar school te brengen, om toezicht te houden bij het huiswerk en diegenen te begeleiden die niet tot de besten behoren. Buiten Japan schijnt niemand te weten dat weliswaar 20 procent van de Japanse studenten uitblinkt, maar dat de overigen gewoonweg vergeten worden. De sociale sector zet zich in om deze kinderen op te vangen.

Er bestaan ook Engelse lees- en conversatieclubjes, speciaal voor Japanse vrouwen die in het voortgezet onderwijs of op hun werk al wat kennis van die taal hebben opgedaan en die daarop willen voortborduren. Het land kent nu al meer dan 185.000 van deze clubjes. Japan kent zelfs al een afdeling van de AA. Ik weet niet hoe groot die is, maar soms krijg je de indruk dat iedere Japanse werknemer een goede kandidaat zou zijn.

In de VS lijken de sociale problemen zo groot dat het werk niet alleen door vrijwilligersorganisaties kan worden gedaan. Wat vindt u daarvan?

Misschien is dat zo. Toch is de schaal waarop de activiteiten plaatsvinden enorm. Meer dan 50 procent van de Amerikanen werkt per week minstens vier uur voor een vrijwilligersorganisatie van de kerk of de gemeenschap. En ze komen met zeer creatieve oplossingen voor sociale problemen. Door de jaren heen heb ik een heel belangrijke les geleerd: praktijkvoorbeelden van hoe je sociale problemen oplost zijn heel belangrijk, omdat anderen die zullen overnemen. Om dit te bevorderen looft de Drucker Foundation ieder jaar een prijs uit aan een vrijwilligersorganisatie. Door bekendheid te geven aan hun werk kan dat werk overgenomen worden.

Zo hebben we eens een prijs gegeven aan een heel kleine groep die geleid werd door een immigrant. Die had een manier gevonden om de minst actieve bijstandsmoeders in contact te brengen met zwaar gehandicapte kinderen. Op die manier werden de gehandicapten verzorgd en verwierven de bijstandsmoeders vaardigheden waarmee ze een goedbetaalde baan konden vinden.

We hebben ook eens de aandacht gevestigd op een project van een Lutherse kerk in St. Louis. Men had ontdekt dat twee vijfde van de daklozen – doorgaans gezinnen – maar een klein zetje nodig had om weer normaal te gaan leven. Het eerste wat die kerk deed was onderzoeken waaraan de dakloze gezinnen het meest behoefte hadden. Dat was zelfrespect.

De leden van die Lutherse gemeente kochten verwaarloosde huizen en zochten vrijwilligers om er weer comfortabele woningen van te maken. Daarna werden de dakloze gezinnen er gehuisvest. Dat veranderde meteen hun kijk op het leven. Speciaal aangewezen leden van de kerkgemeente hielpen het gezin vervolgens met de rekeningen en het vinden van werk. Uiteindelijk kon zo'n 80 procent van de gezinnen in het project het duurzaam zonder verdere hulp stellen.

Andere organisaties, zoals de Girl Scouts, slagen erin meer mensen bij hun werk te betrekken. Een paar jaar geleden had men bijna 500.000 vrijwilligers. Momenteel zijn dat er al bijna 900.000.

Een vrijwilliger was vroeger doorgaans een gewone huisvrouw die zich thuis verveelde. De nieuwe vrijwilliger is steeds vaker een hooggeschoolde vrouw die het krijgen van kinderen heeft uitgesteld maar die het leuk vindt om een weekend met meiden door te brengen na de hele week tussen mannen te hebben gewerkt.

De afgelopen vijfentwintig jaar heb ik veel gewerkt voor snelgroeiende protestantse mega-kerken. Ik geloof dat die een van de belangrijkste sociale verschijnselen van deze tijd vormen. Ze leren mensen hoe ze actief kunnen zijn in de gemeenschap en moedigen hen aan om hun geloof in praktijk te brengen door anderen tot steun te zijn. Terwijl sommige traditionele kerken het loodje leggen, ondergaan andere een gedaanteverwisseling.

Of neem de katholieke kerk in de VS. Paus Johannes Paulus heeft de kerk uit pure angst stelselmatig voorzien van conservatieve bisschoppen. Het zijn niet eens de theologische problemen – gehuwde priesters of vrouwen in het ambt –, die hem dwarszitten. Wat hem zorgen baart is dat de gemeenten bruisen van de activiteiten die uitgaan van leken en niet gecontroleerd worden door de bisschoppen.

Ik ken een van de grotere diocesen in het Midden-Westen. Vroeger waren er 700 priesters, nu zijn dat er nog amper 250. Nonnen zijn er bijna helemaal niet meer. Maar er zijn wel 2500 vrouwelijke leken actief. In iedere parochie doet een vrouw de administratie. De priester doet de mis en de sacramenten, de rest is in handen van vrouwelijke vrijwilligers. Misdienaars zijn al lang verleden tijd.

Waarom kent de VS zo'n groot en vitaal maatschappelijk middenveld, ook vergeleken met andere westerse landen?

Geen enkel ander land beschikt over iets wat qua omvang ook maar in de buurt komt van de activiteiten die in de Amerikaanse non-profitsector worden ontplooid. De reden is dat overal elders de ambtenaren van de moderne staat de gemeenschap hebben vernietigd.

In Frankrijk is het bijna een misdaad om iets voor de gemeenschap te doen. In het Victoriaanse Engeland was er een vrij omvangrijke vrijwilligerssector. Die boog zich over armoede, misdaad, prostitutie en huisvesting. Maar in de twintigste eeuw heeft de verzorgingsstaat daaraan vrijwel een eind gemaakt.

In Europa ging het er vooral om de staat te bevrijden van de overheersing door de kerk. Dat verklaart waarom het Europese continent zo'n krachtige antiklerikale traditie kent.

In de VS was het juist andersom. Toen Jonathan Edwards rond 1740 de doctrine van de scheiding tussen kerk en staat naar voren bracht, deed hij dat met het doel de kerk van de staat te bevrijden. Antiklerikalisme heeft in dit land nooit een rol gespeeld.

Vanwege deze vrijheid heeft de VS een traditie ontwikkeld van godsdienstig pluralisme en kerken los van de staat. Dankzij dit pluralisme wedijverden de verschillende geloofsrichtingen met elkaar om leden. Uit deze concurrentiestrijd groeide de traditie van betrokkenheid bij de gemeenschap. Andere landen kennen zoiets niet

Met uitzondering van de Universiteit van Jefferson in Virginia behoorden alle universiteiten tot een bepaalde geloofsrichting. Dat veranderde pas in 1833 met de oprichting van Oberlin.

De crisis in Azië

Ik ben niet zo heel erg geïnteresseerd in de economische problemen van Azië, aangezien dingen die je met geld kunt oplossen voor iemand die niet echt dom is meestal geen probleem vormen.

En Aziaten zijn niet dom. In wezen is de Aziatische crisis niet economisch maar sociaal van aard. Het hele gebied kent zoveel maatschappelijke spanningen dat het me doet denken aan het Europa van mijn jeugd, dat afgleed naar twee wereldoorlogen.

Er bestaan tal van overeenkomsten tussen de in Azië zichtbare spanningen en die in het toenmalige Europa. De Industriële Revolutie en de daarmee gepaard gaande snelle urbanisatie leidden tot een enorme beroering. De beroering in Azië is alleen veel sneller opgekomen.

Toen ik in de jaren vijftig Korea leerde kennen, was het land nog voor 80 procent ruraal. Vrijwel niemand was universitair geschoold, aangezien de Japanse bezetter dat niet had toegestaan. (Alleen de christelijke missiescholen konden nog functioneren omdat die niet door de Japanners onderdrukt konden worden. Vandaar ook dat 30 procent van de Koreanen christelijk is.) En industrie kende het land niet, want de Japanners stonden niemand toe meer dan een paar werknemers te hebben.

Tegenwoordig is Korea voor bijna 90 procent verstedelijkt. Het is een soort industriële krachtcentrale en de bevolking is hooggeschoold. Voor die omslag was maar veertig jaar nodig. De ontwrichting als gevolg van deze krankzinnige ontwikkelingen is enorm geweest.

Hier moet ook nog melding worden gemaakt van de ongeëvenaarde domheid van Koreaanse zakenmensen. Hoe je met personeel omgaat hebben ze van hun Japanse buren niet geleerd. Japan kwam er door schade en schande achter dat je mensen als mensen moet behandelen. Twee bloedige stakingen in 1948 en 1954 hebben de regering bijna omvergeworpen. Niemand schijnt overigens te weten dat geen land ter wereld zoveel arbeidsonrust heeft gekend als Japan. Het begon al in 1700.

Bij een bezoek van buitenlanders aan een elektronicabedrijf in

Korea mochten de vrouwen aan de lopende band niet eens even opkijken. Wie dat toch deed, werd naar buiten gebracht en kreeg slaag omdat ze haar werk had verwaarloosd.

De autocraten van het Koreaanse bedrijfsleven behandelden niet alleen hun personeel verschrikkelijk, ze hielden ook het geld en de macht in hun bedrijven stevig in de hand. Middenmanagers werden er behandeld als zwarte onderwijzers in Mississippi toen daar de segregatie nog bestond. De autocraten werkten samen met de militairen om zelf aan de macht te blijven en de arbeiders eronder te houden. Onder Kim Dae Jung verandert dit nu eindelijk, maar tussen Koreaanse zakenmensen en hun personeel bestaat een diepgewortelde haat.

In Maleisië maken Chinezen 30 procent van de bevolking uit. Ondanks jarenlange inspanningen van de kant van de overheid zijn er altijd conflicten blijven bestaan tussen deze groep en de autochtone Maleisiërs.

Premier Mohamad Mahathir heeft me ooit gevraagd hoe ervoor gezorgd kon worden dat de Maleisiërs langer op school zouden blijven. Ik bezocht enkele dorpen en ik merkte dat alles daar vanzelf groeit: bananen, kokosnoten en appels. De mensen hebben bovendien varkens en kippen. Niemand hoeft een vinger uit te steken voor zijn dagelijkse kostje. Als je genoeg geld verdient voor een televisie en een motorfiets door maar een paar uur per jaar te werken, waarom zou je dan langer werken? Waarom zouden deze Maleisiërs tot na de derde klas op school blijven?

De Maleisische Chinezen daarentegen maken niet alleen de derde klas af, ze gaan zelfs naar de Verenigde Staten om te studeren. Ze spreken zowel Engels als Maleis. Ze kennen drie Chinese dialecten. Ze hebben dus meer capaciteiten dan de Maleisische leiders willen toegeven. Als gevolg daarvan worden ze met wrok bejegend.

Officieel maken de etnische Chinezen slechts zo'n 3 procent uit van de totale Indonesische bevolking van 200 miljoen mensen, waarvan de helft niet op Java woont. De Chinezen maken echter ruim 20 procent uit van de bevolking van de drie belangrijkste steden, waaronder Jakarta.

Hoe dan ook, aangezien een half miljoen Chinezen zijn gedood bij de staatsgreep in de jaren zestig, begrepen ze wel dat ze de kant moesten kiezen van het leger en legerchef Soeharto. De Chinezen verdienden dus het geld voor de Soehartoclan en de militairen. De moslimbevolking betreurt dat ten diepste.

De 'overzeese Chinezen' vormen met elkaar een van 's werelds grootste economische machten. Overal bezitten ze bedrijven. Vaak vormen zij ter plaatse de klasse van specialisten en hebben ze invloed op de plaatselijke machthebbers. Behalve in Singapore, Taiwan en Hongkong, die helemaal Chinees zijn, stuiten de Chinezen overal op afgunst.

Sinds 1700 heeft China iedere vijftig jaar een boerenopstand meegemaakt. De laatste werd in 1949 onder Mao een succes.

Dus is het tijd voor een nieuwe revolte. De problemen zijn tot op de dag van vandaag hetzelfde gebleven. Er zijn te veel werkloze boeren die nergens heen kunnen.

Volgens sommige schattingen kent China momenteel een arbeidsreservoir van zo'n 200 miljoen boeren. Ze dolen rond, op zoek naar werk. Het is niet waarschijnlijk dat ze iets vinden. Als het de Chinese regering ernst is met haar voornemen om inefficiënte staatsbedrijven te sluiten, zullen er nog eens 80 tot 100 miljoen mensen op straat komen te staan.

Misschien ben ik overgevoelig geworden door de geschiedenis van fascisme en oorlogen in Europa. Het is echter mijn persoonlijke ervaring dat er niet veel nodig is om de lont in het kruitvat te steken als de maatschappelijke spanningen groot zijn. Daarom houd ik mijn hart vast voor Azië.

Over Japan

Japan is de leidende macht in Azië, maar Japan is in wezen een Europees land. Sterker nog, het is een traditioneel negentiende-eeuws Europees land. Dat verklaart waarom het momenteel totaal verlamd is.

Net als het Oostenrijk van mijn vader of Frankrijk in zijn glorietijd, wordt Japan bestuurd door een ambtelijke bureaucratie. Politici zijn van weinig belang en ze waren verdacht. Als ze incompetent of corrupt zijn, is dat niets bijzonders. Maar als de ambtenaren corrupt of incompetent blijken te zijn, is dat een vreselijke schok. Japan is geschokt.

In landen als Duitsland of Frankrijk was het gewoonte dat hoge ambtenaren, wier werkterrein een bepaalde sector van de economie was, zo rond hun vijfenvijftigste de dienst vaarwel zegden. Dan werden ze benoemd in het bestuur van een van de bedrijven waarop ze toezicht hadden gehouden of ze werden hoofd van het sectorale verbond van ondernemers. Tegen een vorstelijk salaris. In Japan is het niet anders.

Japan is alleen sterker georganiseerd. De bureaucraat blijft tot het uiterste loyaal aan zijn minister en verdedigt zijn domein tegen alle indringers. Zelfs als daardoor, zoals bij het ministerie van Financiën, de economie in elkaar dreigt te storten. Het ministerie zorgt ervoor dat hij een lucratieve positie krijgt als adviseur van de industrie.

Het is absurd te denken dat de Japanse industrie efficiënt en competitief is. In geen enkel ander land is zo'n klein deel van de economie blootgesteld aan de internationale markt. In Japan is dat 8 procent, en dat percentage heeft vooral betrekking op de elektronica- en autosector.

Japan heeft weinig internationale ervaring. Het grootste deel van de industrie wordt beschermd en is enorm inefficiënt. Als Japan zijn grenzen zou openen voor bijvoorbeeld papierimport, zouden de drie grootste bedrijven uit de sector binnen 48 uur failliet zijn.

Zodra de grenzen werden geopend voor financiële instellingen, hebben Amerikanen en anderen het heft in handen genomen. De valutahandel in Japan is helemaal in handen van buitenlandse bedrijven. Een valutahandelaar moet minstens tweetalig zijn, want hij moet in ieder geval Engels spreken. In Genève wordt niet veel Japans gesproken.

Toen de deur op een kier werd gezet voor het vermogensbeheer, werd de hele bedrijfstak binnen een half jaar door buitenlanders overgenomen. Japan heeft nauwelijks goed opgeleide vermogensbeheerders.

Als ik nu naar een Japanse bank kijk, zie ik weer de bank waaraan mijn vader leiding gaf in het Oostenrijk van direct na de Eerste Wereldoorlog. Vier mensen deden het werk van één man. In 1923 geloofden ze nog niet in typemachines en ze hadden geen telmachines. Ondanks de inefficiëntie en het personeelsoverschot was de bank toch winstgevend, aangezien de vele ambachtslieden in het Oostenrijks-Hongaarse keizerrijk het niet bezwaarlijk vonden om te lenen tegen 5 procent rente. Ze konden ook nergens anders terecht.

Daarna veranderde de wereld. Het keizerrijk werd ontmanteld. Er kwamen oninbare leningen en niemand wilde meer geld lenen. De bank, die toch al te veel mensen in dienst had, moest mensen overnemen die in Praag of Krakau waren weggestuurd. De winsten verdwenen en de bank ging ten onder aan zijn overheadkosten.

Precies hetzelfde gebeurt momenteel in Japan. Japanse bedrijven rekruteren nieuwe werknemers van lijsten met afgestudeerden die door de universiteiten worden opgesteld. Dat is een praktijk die teruggaat tot 1890. Maar twee jaar geleden, toen het economisch al veel minder ging, namen Japanse bedrijven nog steeds mensen aan. Ze waren bang dat ze anders niet meer in aanmerking zouden komen voor afgestudeerden.

Ik ken een bedrijf dat aan het inkrimpen was maar toch 280 mensen aannam van zes universiteiten. Die nieuwe mensen zitten dus de hele dag duimen te draaien. 's Avonds gaan ze met de baas uit en drinken ze zich een stuk in de kraag. Is dat werken?

Hoe kan Japan, dat veel weg heeft van een negentiende-eeuws Europees land, succes boeken in de hypercompetitieve eenentwintigste eeuw?

Ondanks alles wat ik heb gezegd moet je de Japanners niet onderschatten. Ze kunnen in een mum van tijd een radicale ommekeer bewerkstelligen. En aangezien medeleven in Japan onbekend is, worden er door deze veranderingen diepe emotionele wonden geslagen.

Hoewel vier eeuwen lang geen enkel ander niet-Europees land zoveel internationale handel heeft gekend als Japan, gooide het in 1637 de deur dicht voor de buitenwereld. In een half jaar tijd. De ontwrichting was onbeschrijflijk. In 1867 werden ten tijde van de Meiji-Restauratie de grenzen weer geopend. In zeer korte tijd. Na de nederlaag in de Tweede Wereldoorlog was het natuurlijk een ander verhaal.

Toen zo'n tien jaar geleden de dollar werd gedevalueerd, dachten de Japanners er niet aan hun productie over te brengen naar goedkopere regio's in Azië. Ze zetten partnerschappen op met de Chinezen en namen op het Chinese vasteland een bijna niet in te halen voorsprong als producenten.

Japan is zeer goed in staat tot dramatische wendingen. Zodra er een algemene consensus bestaat, kan de verandering heel snel gaan. Ik denk dat er een groot schandaal nodig is om een verandering te bewerkstelligen. Bijvoorbeeld banken die niet meer aan hun verplichtingen kunnen voldoen. Tot nu toe heeft de Japanse regering de beslissing om iets te doen aan het zwakke financiële systeem, steeds uitgesteld. Ze hoopte dat het probleem vanzelf zou verdwijnen of stap voor stap kon worden opgelost. Langzamerhand ziet het er niet meer naar uit dat dat nog mogelijk is.

Over China

Binnen tien jaar zal China van gedaante veranderd zijn. Op basis van het verleden is het waarschijnlijk dat er een soort decentralisatie naar regio's zal plaatsvinden. Vandaag de dag bestaan er al zogenaamde autonome regio's. Vroeger waren er ook gebieden waar krijgsheren de baas waren.

Nu al krijgt Peking van deze gebieden meer mooie woorden dan belastingen. De enige reden waarom deze regio's niet openlijk breken met het centrale gezag, is dat er hoge subsidies verstrekt worden aan staatsbedrijven.

De lastigste horde die China in de nabije toekomst zal moeten nemen, is de herstructurering van deze enorm inefficiënte industrieën zonder daarbij veel maatschappelijke beroering te veroorzaken.

's Werelds grootste fietsenfabriek ligt in Xi'an. De fietsen zijn echter zo slecht dat ze al uit elkaar vallen als je ernaar kijkt. Dus rijdt iedereen in Xi'an op fietsen uit Shanghai. Niettemin berust op de invoer daarvan in Xi'an officiëel een verbod. In Xi'an staan nu zo'n vijf miljoen onverkochte fietsen, maar de productie wordt voortgezet omdat de fabriek werk verschaft aan meer dan 85.000 mensen.

Ik heb eens een gesprek gehad met de directeur van de beroemde vrachtwagenfabriek No. 2 in Beijing. Hij vertelde me dat hij met 115.000 mensen 45.000 trucks produceerde, maar dat hij 115.000 trucks zou kunnen produceren als hij het personeel kon terugbrengen tot 45.000. Ik zag in de fabriek machines staan die Ford in 1926 naar Shanghai had verscheept. Er stond ook ongelofelijk armzalige apparatuur van Russische makelij uit de jaren vijftig. En er waren drie opslagplaatsen gevuld met in kisten opgeslagen computerapparatuur.

Ik vroeg hem waarom hij die computers niet gebruikte. Hij vertelde dat hij zes jaar daarvoor een verzoek had ingediend om geld voor de vertaling van de handleiding in het Chinees. Zijn verzoek was echter nog niet gehonoreerd.

Dat lijkt op het Rusland van rond 1930. Toen stonden de tractoren stil omdat het ministerie geen vergunning gaf voor de invoer van onderdelen als aandrijfriemen.

China heeft drie opties. De eerste is de officiële: China wordt een efficiënt en modern land. Als voorbeeld kan verwezen worden naar de fietsenfabriek in Shanghai, maar zo zijn er niet veel.

De tweede optie wordt verwoord door een oud Chinees gezegde: om in een rechte lijn te lopen ga je eerst naar de ene kant, vervolgens naar de andere. In feite is dat wat China de voorbije zeven jaar heeft gedaan. Eerst financieren ze hun industrieën met subsidies die de inflatie aanwakkeren totdat het gevaar van een te grote werkloosheid geweken is, dan reduceren ze het aantal werknemers van de grote staatsbedrijven weer net zo lang tot er weer te veel werkloosheid ontstaat, waarna ze de inflatie opnieuw opjagen. Daarin gaan ze steeds iets minder ver.

De derde optie is in veel opzichten het meest realistisch. China concentreert zich op een paar gebieden. Daar worden voldoende goed presterende industrieën opgericht om vreemd kapitaal te kunnen aantrekken. Deze benadering heeft men toegepast in het gebied rond Shanghai, en de ervaringen daar zijn overwegend positief.

Denkt u dat de huidige crisis in Azië zal uitlopen op een ineenstorting van het globaliseringsproces? Of zal het juist tot een versnelling leiden, vanwege de behoefte aan vreemd kapitaal?

Als je midden in een crisis zit, is doorgaan met de liberalisering ondenkbaar. Dat geldt ook voor Azië. Vergeet niet dat liberalisering op de korte termijn ontwrichting met zich meebrengt.

Kijk maar naar Frankrijk. Gedurende 110 jaar hebben de vakbonden de misvatting aangehangen dat er extra banen ontstaan als je de werkweek verkort. Daarvan bestaat echter geen enkel positief voorbeeld. De werkgelegenheid zal alleen maar verslechteren en er worden geen nieuwe banen gecreëerd.

De ervaring die werd opgedaan in de jaren twintig en tijdens de Depressie wijst helaas maar in één richting: onder druk van de werkloosheid gooien landen hun grenzen niet open. Die sluiten ze juist.

Men kan stellen dat de revolutie van de massaproductie in de twintigste eeuw geleid heeft tot een zo fundamentele verstoring van het evenwicht, dat er depressie en oorlog uit voortkwamen. Zal op dezelfde manier de technologische werkloosheid, die te danken is aan de kennisrevolutie, een fundamentele onevenwichtigheid veroorzaken in de eenentwintigste eeuw?

Daar zie ik geen aanwijzingen voor. Sinds de computer zijn intrede heeft gedaan, is men bang geweest voor werkloosheid als gevolg van de automatisering. Maar die heeft zich niet voorgedaan.

In Amerika, het land van Microsoft en Intel, is de werkloosheid in decennia niet zo laag geweest. Als er een reden is voor de hoge werkloosheid in Europa, dan is het wel dat men de informatietechnologie niet adequaat heeft geïntegreerd in de samenleving en de rigide arbeidsmarkt niet heeft geflexibiliseerd met het oog op het kennistijdperk.

Wat zal dan volgens u de fundamentele onevenwichtigheid van de eenentwintigste eeuw zijn?

De demografische ontwikkeling. In de ontwikkelde landen is het probleem niet de vergrijzing, zoals iedereen denkt, maar de afname van het aantal jongeren. Van alle ontwikkelde landen worden er alleen in de VS voldoende kinderen geboren om de bevolkingsomvang op peil te houden: 2,2 per vrouw. Dankzij de hoge immigratie. Onder immigranten uit Zuid-Amerika is vier kinderen nog steeds normaal.

(1998)

DEEL III

De veranderende wereldeconomie

11

De opkomst van de grote organisaties

De geschiedenis van de Westerse wereld in de afgelopen duizend jaar kan zonder overdrijven worden samengevat in één frase: de opkomst, val en wederopstanding van het pluralisme.

Rond het jaar 1000 had het Westen – dat wil zeggen Europa ten noorden van de Middellandse Zee en ten westen van de Grieks-orthodoxe wereld – zich ontwikkeld tot een werkelijk nieuwe cultuur, met eigen karakteristieken. Daar werd pas veel later de term feodaal op geplakt. Het zwaartepunt van die nieuwe beschaving lag bij de eerste en vrijwel onoverwinnelijke vechtmachine ter wereld: de zwaar bewapende ridder te paard. De uitvinding van de stijgbeugel betekende het begin van het vechten te paard en van de bewapende ridder. Deze uitvinding kwam oorspronkelijk uit Centraal-Azië en dateert van rond het jaar 600. De gehele antieke wereld had de stijgbeugel al ver voor het jaar 1000 geaccepteerd. Iedereen die een paard bereed, gebruikte de stijgbeugel.

Daartegenover stonden de beschavingen van de oude wereld – islam, India, China en Japan – die juist verwierpen wat de stijgbeugel mogelijk maakte: vechten te paard. Ondanks de militaire superioriteit bestond er een goede reden voor deze verwerping, namelijk de mogelijkheid dat de gewapende ridder een autonoom machtscentrum zou worden buiten bereik van de centrale overheid. Deze vechtmachines hadden een hele entourage: de ridder en zijn drie tot vijf paarden en hun verzorgers, vijf of meer aspirant-ridders, nodig vanwege het hoge aantal slachtoffers in dit beroep en de ontzaglijk dure wapenrusting. Eén zo'n vechtmachine in bedrijf houden vergde de economische productie van honderd boerenfamilies, dat wil zeggen van zo'n vijfhonderd mensen. Dat was ongeveer vijftig keer meer dan nodig was voor de ondersteuning van de best uitgeruste beroepssoldaat te voet, zoals de Romeinse legionair of een Japanse samoerai.

Zeggenschap over het leengoed

De ridder oefende de volledige politieke, economische en sociale zeggenschap uit over de ridderlijke onderneming, het leen. Dit bracht ook andere zelfstandige eenheden in het middeleeuwse Westen – seculair dan wel religieus – ertoe een autonoom machtscentrum te worden. Een dergelijk centrum was in naam wel dienstbaar aan het centrale gezag van paus of koning, maar had er verder geen verplichtingen aan, zelfs geen fiscale. Voorbeelden van dergelijke machtscentra waren baronieën, graafschappen, bisdommen, zeer welvarende kloosters, vrije steden en gilden. Enkele tientallen jaren later verwierven de eerste universiteiten en talloze handelsmonopolies eenzelfde positie.

Toen in 1066 de overwinning van Willem de Veroveraar het feodale systeem naar Engeland bracht, was het Westen al pluralistisch geworden. Iedere groep streefde onophoudelijk naar meer autonomie en meer macht, en naar de politieke en sociale controle over zijn leden en over de toegang tot de privileges die het lidmaatschap met zich meebracht. Naar zijn eigen rechtssysteem, zijn eigen gevechtseenheden, het recht op een eigen munteenheid, enzovoorts. Rond 1200 hadden deze specifieke belangengroepen de macht zo goed als overgenomen. Stuk voor stuk streefden ze alleen hun eigen doeleinden na en waren ze alleen geïnteresseerd in hun eigen gebiedsuitbreiding, welvaart en macht. Niemand bekommerde zich om het algemeen belang, en de mogelijkheid om een overkoepelend beleid uit te stippelen was vrijwel verdwenen.

In de dertiende eeuw ontstond hierop een reactie vanuit religieuze hoek. Tijdens twee concilies in het Franse Lyon deed het pausdom zijn eerste, nog zwakke pogingen om de controle over bisdommen en kloosters weer over te nemen. Uiteindelijk wist het op het concilie van Trente halverwege de zestiende eeuw zijn invloed weer te doen gelden, maar toen hadden de paus en de katholieke kerk Engeland en Noord-Europa al verloren aan het protestantisme. Op seculier terrein werd de tegenaanval op het pluralisme honderd jaar later ingezet. De lange boog, een uitvinding uit Wales die door de Engelsen was geperfectioneerd, had rond 1350 een einde gemaakt aan de suprematie van de ridders op het slagveld. Een paar jaar later betekende het kanon, waarbij gebruik werd gemaakt van het buskruit dat de Chinezen voor hun vuurwerk hadden uitgevonden, het einde van de tot dan toe onaantastbare ridderburchten.

Sindsdien was de Westerse geschiedenis gedurende vijfhonderd jaar een geschiedenis van de opkomst van de nationale staat. De staat werd de hoogste macht, het enige machtscentrum in de samenleving. Het was wel een langzaam proces. De weerstand van de aloude, specifieke belangengroepen was enorm. Zo werden pas in 1648 – bij het verdrag van Westfalen, dat een eind maakte aan de dertigjarige oorlog in Europa – privé-legers ontbonden en verwierf de nationale staat het alleenrecht op het aanhouden van legers en het voeren van oorlogen. Maar het proces verliep gestaag. Stap voor stap verloren de pluralistische instellingen hun autonomie. Rond het einde van de Napoleontische oorlogen had de soevereine nationale staat overal in Europa getriomfeerd. In de Europese landen waren toen zelfs de geestelijken ambtenaren geworden die gecontroleerd werden door de staat. Ze werden door de staat betaald en waren onderworpen aan de soeverein, of dat nu een koning was of het parlement.

De VS vormden de enige uitzondering. Hier overleefde het pluralisme. De belangrijkste reden daarvoor is de vrijwel unieke religieuze diversiteit in Amerika. Maar zelfs in de VS werd het religieus gefundeerde pluralisme door de scheiding van kerk en staat beroofd van zijn macht. Het is niet toevallig dat in de VS, heel anders dan in Europa, geen enkele partij of beweging die gebaseerd was op een bepaalde geloofsrichting ooit meer dan marginale politieke steun heeft weten te verwerven.

Rond het midden van de negentiende eeuw verkondigden sociale en politieke denkers als Hegel en de liberale politieke filosofen van Engeland en Amerika dat het pluralisme voorgoed begraven was. Dat was precies op het moment dat het weer tot leven kwam. De eerste organisatie die weer substantiële macht en autonomie opeiste was de nieuwe onderneming die opkwam tussen 1860 en 1870. Die werd in snel tempo gevolgd door een hele reeks andere en nieuwe organisaties. Stuk voor stuk maakten ze aanspraak op zelfbeschikkingsrecht en oefenden ze een aanzienlijke sociale controle uit: vakbonden, de ambtenarij met zijn baan voor het leven, ziekenhuizen en universiteiten. Deze organisaties vertegenwoordigen, net als de pluralistische instellingen van achthonderd jaar eerder, een specifiek belang. Zij hebben autonomie nodig en zijn bereid daarvoor te vechten.

Geen enkele organisatie houdt zich echter bezig met het algemeen belang. Denk maar aan wat John L. Lewis, de machtige vakbondsleider, zei toen Franklin D. Roosevelt hem vroeg een eind te maken aan een staking van mijnwerkers die de oorlogsinspanningen dreigden te frustreren. 'De president van de VS wordt betaald om het belang van de natie te dienen, ik word betaald om de belangen van de mijnwerkers te behartigen.' Dit is slechts een botte versie van wat de leiders van moderne belangengroepen voorstaan en waar hun leden hun voor betalen. Net als achthonderd jaar geleden dreigt dit nieuwe pluralisme de politieke slagkracht te ondermijnen. Bovendien wordt de maatschappelijke samenhang in ontwikkelde landen erdoor bedreigd.

Niettemin is er een essentieel verschil tussen het moderne sociale pluralisme en dat van achthonderd jaar geleden. Toen waren de pluralistische instellingen – ridders in wapenrusting, vrije steden, gilden of vrijgestelde bisdommen – gebaseerd op eigendom en macht. Tegenwoordig rechtvaardigt de functie van de autonome organisatie – onderneming, vakbond, universiteit of ziekenhuis – haar bestaan. Haar vermogen haar taak uit te voeren is direct afhankelijk van haar gerichtheid op die functie. De enige grootschalige poging om het machtsmonopolie van de soevereine staat in ere te herstellen, Stalins Rusland, mislukte vooral omdat geen enkele instelling nog kon functioneren toen zij beroofd werd van haar noodzakelijke autonomie. Dit lijkt ook van toepassing op het militaire apparaat, op bedrijven en ziekenhuizen.

De noodzakelijke autonomie

Nog niet zo lang geleden waren de meeste taken die tegenwoordig door moderne organisaties worden uitgevoerd, in handen van de familie. De familie leidde haar leden op, droeg zorg voor ouden en zieken en zocht werk voor hen die dat nodig hadden. Een eerste blik op negentiende-eeuwse familiebrieven of familiegeschiedenissen toont al aan dat hierin niets vreemds werd gezien. Het betreft taken die alleen kunnen worden uitgevoerd door een instelling die onafhankelijk is van de gemeenschap en de staat.

De autonomie van onze instellingen bewaren is een van de uitdagingen waarmee het volgende millennium ons confronteert. Of liever de volgende eeuw, want zoveel tijd zullen we er niet voor krijgen. In sommige gevallen kan het gaan om de autonomie van transnationale bedrijven tegenover nationale overheden. De andere uitdaging is het herstel van het overkoepelende politieke bestuur, iets wat vrijwel geheel verloren is gegaan, zeker in vredestijd. We kunnen alleen maar hopen dat herstel nog mogelijk is. Tot nu toe weet niemand hoe dit moet, aangezien de voorbeelden ontbreken.

Enerzijds zullen deze organisaties bereid en in staat moeten zijn zich te concentreren op hun nauw omschreven functie, want alleen dan kunnen ze functioneren. Tegelijkertijd zullen ze bereid en in staat moeten zijn om samen te werken met overheden, ten dienste van het algemeen belang. Dit is de enorme uitdaging die het tweede millennium in de ontwikkelde landen nalaat aan het derde millennium.

(2000)

12

De wereldeconomie en de nationale staat

Een echte doorzetter

Lang voordat men begon te praten over de globalisering van de wereldeconomie, zo'n vijfendertig jaar geleden, was de neergang van de nationale staat al voorspeld. In feite hebben de beste en helderste denkers de ondergang van de nationale staat al tweehonderd jaar lang voorspeld, te beginnen met het essay van Immanuel Kant uit 1795, getiteld *Eeuwige vrede*. Andere voorbeelden zijn *Het wegkwijnen van de staat* door Karl Marx en de speeches die Bertrand Russell gaf in de jaren vijftig en zestig. De jongste voorspelling is te vinden in een boek getiteld *The Sovereign Individual*. De auteurs zijn Lord William Rees-Mogg, voormalig redacteur van de Times en momenteel adjunct-directeur van de BBC, en James Dale Davidson, voorzitter van de Engelse *National Tax Payers' Union*. Beide auteurs beweren dat het dankzij internet voor iedereen, met uitzondering van de laagste inkomens, zo simpel en ongevaarlijk zal worden om belasting te ontduiken, dat het hoogste gezag onvermijdelijk zal verschuiven naar het individu. De nationale staat zal volgens hen tenondergaan aan financiële ondervoeding.

Ondanks al zijn tekortkomingen heeft de nationale staat bewezen over een verbazingwekkende veerkracht te beschikken. Terwijl Tsjechoslowakije en Joegoslavië slachtoffer werden van de veranderende omstandigheden werd Turkije, een land dat daarvoor nooit een natie was geweest, een goed functionerende nationale staat. India, dat zelden een eenheid was tenzij onder een vreemde overheerser, weet nu als nationale staat de eenheid te bewaren. Alle landen die zijn voortgekomen uit de negentiende-eeuwse koloniale imperia, hebben nationale autonomie verworven. Hetzelfde geldt voor de landen die ontstaan zijn na de ontmanteling van de Sovjet-Unie. Dat rijk werd bijeengebracht door de tsaar en nog hechter aaneengesmeed door zijn communistische opvolgers. Tot op de dag van vandaag bestaat er geen andere weg naar politieke integratie en deelname aan de wereldgemeenschap. Daarom is het zeer waarschijnlijk dat de nationale staat de globalisering van de economie en de daarmee gepaard gaande informatierevolutie zal overleven. Het zal echter wel een sterk veranderde nationale staat zijn. Dit geldt vooral voor het binnenlandse fiscale en monetaire beleid, het buitenlandse economische beleid, de controle van het internationale zakenleven en wellicht zelfs voor militaire zaken.

De nationale staat op drift

De controle over geld en kredietverlening en over het begrotingsbeleid was een van de drie elementen waarop Jean Bodin, de briljante Franse jurist aan wie we de term soeverein te danken hebben, de nationale staat fundeerde in zijn *Zes boeken over de republiek*, uit 1576. Een erg stevig fundament is dat nooit geweest. Tegen het eind van de negentiende eeuw was de belangrijkste rekeneenheid niet langer de door de staat uitgegeven munt of de door de staat gedrukte bankbiljetten, maar krediet, afkomstig van de snelgroeiende particuliere commerciële banken. Nationale staten reageerden door centrale banken op te richten. Rond 1912, toen de VS het Amerikaanse systeem van centrale banken opzette, beschikte iedere nationale staat over zijn eigen centrale bank, die toezicht moest houden op de commerciële banken en hun kredietwaardigheid. Gedurende de negentiende eeuw onderwierp de ene na de andere nationale staat zich, al dan niet vrijwillig, aan de gouden standaard. Deze legde strikte beperkingen op aan het monetaire beleid van een land. De gouden wisselkoersstandaard, vastgelegd in het akkoord van Bretton Woods van na de Tweede Wereldoorlog, was al veel flexibeler dan de gouden standaard uit de jaren voor de Eerste Wereldoorlog. Toch gaf de standaard individuele landen nog altijd geen monetaire en fiscale soevereiniteit. Pas in 1973, toen president Nixon de Amerikaanse dollar liet zweven, verwierf de nationale staat de volledige zeggenschap in monetaire en fiscale aangelegenheden, althans, zo werd het tenminste voorgesteld. Overheden en ook hun economen zouden voldoende van hun ervaringen geleerd hebben om een verantwoord gebruik te maken van deze soevereiniteit.

Er zullen niet veel economen zijn, in ieder geval in de Engelstalige wereld, die terug willen naar de vaste wisselkoersen of iets wat lijkt op het oude systeem. Nog minder economen zullen willen volhouden dat de nationale staten veel bekwaamheid of verantwoordelijkheid aan de dag hebben gelegd bij het gebruik van de nieuwe fiscale en monetaire vrijheid. Zwevende wisselkoersen zouden zorgen voor stabiele munten en de markt zou de wisselkoersen stabiliseren door voortdurende kleine aanpassingen. In werkelijkheid is er in vredestijd geen periode geweest, met uitzondering van de eerste jaren van de Depressie, waarin munteenheden zo sterk en abrupt gefluctueerd hebben als sinds 1973. Bevrijd van externe beperkingen hebben regeringen veel te veel geld uitgegeven.

De Duitse Bundesbank kent nauwelijks politiek toezicht en heeft zich financiële degelijkheid ten doel gesteld. De bank besefte dat het financiële beleid dat tijdens de hereniging van Oost- en West-Duitsland door politici werd voorgesteld in economisch opzicht dwaas was, en heeft dat ook luid en duidelijk kenbaar gemaakt. Niettemin gingen de politici verder op de ingeslagen weg. Op korte termijn wonnen zij aan populariteit, maar op lange termijn namen zij economische risico's. De Bundesbank heeft alles voorspeld wat er daarna is gebeurd, inclusief werklooshcidscijfers die niet meer waren voorgekomen sinds de nadagen van de Weimarrepubliek. Met politici is het altijd hetzelfde verhaal: het maakt weinig uit wie er aan de macht is of hoezeer men belooft de uitgaven in de hand te houden of te bezuinigen.

Virtueel geld

Terwijl de hoop dat regeringen zelfbeheersing aan de dag zullen leggen ijdel is, legt de wereldeconomie nieuwe en strengere beperkingen op aan overheden. Ze dwingt overheden weer tot een verantwoordelijk begrotingsbeleid. Zwevende wisselkoersen hebben geleid tot een extreme instabiliteit van munten en dat heeft weer geleid tot een enorme hoeveelheid 'wereldgeld'. Dit geld bestaat niet buiten de wereldeconomie en de belangrijkste geldmarkten. Het is niet afkomstig van economische activiteiten zoals investeren, produceren, consumeren of handelen, maar van de valutahandel. Geen enkele traditionele definitie van geld is erop van toepassing: noch als meeteenheid, noch als waardeopslag of ruilmiddel. Het is anoniem; het is eerder virtueel dan echt geld.

Maar de macht ervan is wel reëel. De hoeveelheid wereldgeld is zo gigantisch dat de bewegingen ervan een veel grotere invloed hebben dan handelsstromen of investeringen. Op één dag kan er zoveel virtueel geld verhandeld worden als de hele wereld nodig heeft om gedurende een jaar handel en investeringen te financieren. Dit virtuele geld is volledig beweeglijk, omdat het geen enkele economische functie vervult. Miljarden kunnen van de ene naar de andere munt worden verplaatst door een enkele handelaar die een paar toetsen op zijn toetsenbord indrukt. Aangezien dit geld geen enkele economische functie heeft en het niets financiert, luistert het naar geen enkele economische logica of rationaliteit. Het is uiterst volatiel en raakt door een gerucht of een onverwachte gebeurtenis al op drift.

De stormloop op de dollar in het voorjaar van 1995 vormt hiervan een voorbeeld. President Clinton werd daardoor gedwongen af te zien van zijn aanvankelijke bestedingsplannen en hij zag zich genoodzaakt anders te budgetteren. De aanleiding tot deze aanval was het feit dat de Republikeinse meerderheid in de senaat er niet in slaagde een amendement op de grondwet aangenomen te krijgen dat vroeg om een evenwichtige budgettering. Zelfs als het amendement wel was aanvaard, zou het nog zinloos zijn geweest. Het zat vol valkuilen en het zou pas van kracht worden als het door achtendertig staten was ondertekend. In het gunstigste geval zou dat vele jaren hebben geduurd. Wereldwijd raakten de valutahandelaren echter in paniek en begonnen zij een stormloop op de Amerikaanse dollar. De dollar, die tegenover de Japanse yen al een onderwaardering kende van 10 procent, verloor daardoor in twee weken nog eens een kwart van zijn waarde, van 106 yen per dollar naar minder dan 80. Belangrijker was dat de stormloop bijna de ineenstorting veroorzaakte van de Amerikaanse obligatiemarkt, waarvan de VS afhankelijk is voor de financiering van zijn tekorten. De centrale banken van de VS, Engeland, Duitsland, Japan, Zwitserland en Frankrijk kwamen onmiddellijk in actie om de dollar te steunen. Ze slaagden er niet in en verloren miljarden dollars. Het kostte de dollar bijna een jaar om weer op te klauteren naar zijn oorspronkelijke wisselkoers.

Een soortgelijke door paniek veroorzaakte stormloop op de Franse franc in 1981 dwong president Mitterand om beloften te breken die er drie maanden eerder mede voor hadden gezorgd dat hij gekozen werd. Dergelijke aanvallen zijn er geweest op de Zweedse kroon, het Britse pond, de Italiaanse lire en de Mexicaanse peso. Het virtuele geld heeft iedere keer gewonnen. Daarmee heeft het bewezen dat de wereldeconomie de ultieme scheidsrechter is op het gebied van monetaire en begrotingspolitiek.

De aanval op munten is echter geen probaat middel tegen een gebrek aan begrotingsverantwoordelijkheid. In het geval van Mexico was het middel erger dan de kwaal. De aanval op de peso in 1995 vernietigde de met veel moeite bewerkstelligde economische vooruitgang die van het land een opkomende economie had gemaakt. Tot nu toe bestaat er echter geen andere controle op onverantwoordelijkheid in geldzaken. Het enige wat effectief kan zijn is een begrotings- en monetair beleid dat een land bevrijdt van de noodzaak zijn tekorten te dekken door kortlopende leningen. Dat vraagt naar alle waarschijnlijkheid een min of meer evenwichtige begroting voor iedere regeringsperiode. Dat legt weer strenge beperkingen op aan de autonomie van de nationale staat inzake budgetten en monetaire kwesties, maar daaraan hadden de sinds 1973 zwevende wisselkoersen juist voorgoed een einde moeten maken.

Inmiddels is het in ere herstellen van dergelijke supranationale beperkingen een flink eind gevorderd. De introductie van een Europese munt door de Europese Bank, die voorzien is voor het einde van de eeuw, zou het toezicht op het geld- en kredietwezen overdragen van de individuele lidstaten op een onafhankelijke supranationale instelling. Volgens een andere benadering, waarvoor de Amerikaanse Federal Reserve Board blijkbaar een voorkeur heeft, zou een consortium van centrale banken een soortgelijk gezag verlenen. Op die manier zou de nationale begrotingssoevereiniteit vooral in schijn gehandhaafd blijven. Beide benaderingen zouden echter alleen maar institutionaliseren wat al een economische realiteit is geworden: fundamentele economische beslissingen worden eerder genomen in en door de mondiale economie dan door de nationale staat.

De onbeperkte financiële en monetaire soevereiniteit die aan de nationale staat gegeven werd door het vrijlaten van de wisselkoersen vijfentwintig jaar geleden heeft de overheden niet veel goeds gebracht. Het heeft regeringen grotendeels beroofd van de vrijheid om nee te zeggen. Het heeft de beslissingsbevoegdheid van regeringen overgedragen op specifieke belangengroepen. Bovendien is het de voornaamste oorzaak van het plotseling afgenomen vertrouwen in en respect voor regeringen. Deze verontrustende trend heeft zich in bijna alle landen voorgedaan. Paradoxaal genoeg zou het verlies van de monetaire en financiële soevereiniteit de nationale staat eerder sterker dan zwakker kunnen maken.

De regels doorbreken

Veel subtieler, maar misschien nog belangrijker is de invloed van de opkomst van de wereldeconomie op de basisveronderstellingen en theorieën waarop de meeste regeringen, en vooral die in het Westen, hun economische beleid baseren. Er zijn tal van aanwijzingen dat er in de wereldeconomie iets gaande is wat zich niet houdt aan de regels die tientallen jaren gegolden hebben.

Waarom verloor de dollar tegenover de yen meer dan de helft

van zijn waarde toen president Reagan en de Japanse regering in 1983 overeenkwamen de vaste wisselkoersverhouding tussen yen en dollar los te laten? Terwijl de dollar in feite was overgewaardeerd, schommelde zijn waarde tegenover de yen rond de 230. Niemand verwachtte dat de koers zou dalen tot 200 yen. Desondanks raakte de dollar in een vrije val en bereikte hij pas de bodem toen hij tegenover de yen bijna 60 procent van zijn waarde had verloren. Dat wil zeggen, totdat hij twee jaar later een koers bereikte van 110 yen (om tien jaar later verder te dalen naar 80 yen). Waarom? Tot op heden kan niemand dit verklaren. Nog mysterieuzer is het dat de dollar alleen tegenover de yen zo'n scherpe koersval doormaakte. Bovendien nam de waarde van de dollar tegenover andere belangrijke munten juist toe. Nogmaals, niemand had dit verwacht en niemand kan er een verklaring voor geven.

Reagan en zijn economische adviseurs wensten een goedkopere dollar om een groeiend handelstekort met Japan weg te werken. Volgens alle theorieën en tweehonderd jaar ervaring zou een lagere dollar leiden tot meer Amerikaanse uitvoer naar Japan en minder Amerikaanse invoer vanuit Japan. Japanse exporteurs, vooral de fabrikanten van auto's en consumentenelektronica, werden hysterisch en verklaarden dat het einde van de wereld was aangebroken. De Amerikaanse export namen inderdaad snel toe, maar die ging nog sneller naar enkele landen waarvan de munteenheid tegenover de dollar juist in waarde gedaald was. De Japanse export naar de VS nam, ondanks de waardevermindering van de dollar, nog sneller toe dan de Amerikaanse export naar Japan. Gevolg was dat het Amerikaanse handelstekort met Japan niet daalde maar juist steeg. Telkens wanneer in de afgelopen vijftien jaar de waarde van de dollar tegenover de yen verminderde, voorspelde de Amerikaanse regering dat het Japanse handelsoverschot met de VS zou afnemen. En iedere keer schreeuwden de Japanners dat ze werden geruïneerd. En iedere keer is het Japanse exportoverschot bijna onmiddellijk gegroeid.

Een veelgehoorde verklaring hiervoor is dat Japanse fabrikanten geniaal zijn. De belangrijkste exporteurs kunnen heel kien zijn, maar ook een genie kan niet in een mum van tijd een halvering van de inkomsten goedmaken. De echte verklaring is dat de lagere dollar Japan tegelijk hinderde en begunstigde. Japan is 's werelds grootste importeur van voedingsmiddelen en grondstoffen, waarvan de prijzen in dollars berekend worden. Het land geeft ongeveer evenveel uit aan de import van deze goederen als het verdient aan de export van eindfabrikaten. Een Japanse fabrikant als Toyota kan erop achteruit gaan omdat de dollars die hij krijgt voor zijn naar de VS geëxporteerde auto's nog maar half zoveel yen waard zijn, maar voor de totale Japanse economie betekende de val van de dollar niet zo veel.

Hierdoor ontstaat echter een nog groter mysterie. Hoe verklaar je dat de Japanners niet méér hoefden te betalen voor hun import? Volgens alle theorieën en eerder opgedane ervaringen zouden de prijzen in dollars van de handelswaar evenveel omhoog moeten zijn gegaan als de dollar in waarde verminderde. De Japanners zouden net zoveel hebben moeten betalen als vóór de devaluatie van de dollar. Als dat net als vroeger weer was gebeurd, zou er inderdaad geen Japans handelsoverschot bestaan. De prijzen van gebruiksgoederen in dollars zijn momenteel echter lager dan in 1983, en ook hiervoor is geen verklaring voorhanden.

Er is maar één stukje van de puzzel dat begrijpelijk is, maar dat stukje is zelfs nog moeilijker te verenigen met de traditionele internationale handelstheorie. Het Amerikaanse ministerie van Handel heeft onderzoek gedaan naar de export uit ontwikkelde landen. Volgens haar schatting is meer dan 40 procent daarvan bestemd voor overzeese dochtermaatschappijen en firma's waarmee Amerikaanse bedrijven een organisatorische band hebben. Officieel en juridisch is hier sprake van export. Economisch gezien zijn dit verplaatsingen binnen een bedrijf. Het betreft machines, voorraden en halffabrikaten. Deze verplaatsingen moeten doorgaan, ongeacht de wisselkoers. Het zou jaren kosten om hierin veranderingen aan te brengen en het zou meer geld kosten dan besparingen op de buitenlandse handel zouden kunnen opleveren. Van wat te boek staat als handel in goederen is derhalve 40 procent alleen in juridische zin handel. En dat percentage neemt gestaag toe.

De internationale handelstheorie gaat ervan uit dat investeringen de handel volgen. Tegenwoordig volgt de handel echter steeds vaker de investeringen. Internationale goederenbewegingen vormen eerder de motor van de wereldeconomie dan internationale kapitaalbewegingen.

De meeste mensen denken bij internationale handel aan handel in goederen. De goederenhandel is sinds de Tweede Wereldoorlog inderdaad sneller gegroeid dan in enige andere periode. De handel in diensten is echter nog sneller gegroeid. Dan moet je denken aan financiële dienstverlening, management consulting, boekhouden, verzekeringen en de detailhandel. De export van diensten was twintig jaar geleden nog zo gering dat hij zelden werd opgenomen in de handelsstatistieken. Vandaag de dag maakt hij een kwart uit van de Amerikaanse export en zorgt hij als enige voor flinke exportoverschotten. Deze ontwikkelingen storen zich niet of nauwelijks aan de regels van de traditionele internationale handel. Het toerisme is als enige sector zeer gevoelig voor schommelingen in de wisselkoersen van vreemde valuta.

Ik heb doelbewust stilgestaan bij de raadsels van de Amerikaanse economie. Soortgelijke raadsels zijn echter te vinden in de economieën van alle ontwikkelde landen en de meeste ontwikkelingslanden.

De centra van de wereldeconomie bevinden zich niet langer in de ontwikkelde wereld. Vijftien jaar geleden geloofde men nog dat de groei van ontwikkelingslanden afhing van de welvaart van de ontwikkelde wereld. De afgelopen twintig jaar hebben de ontwikkelde landen het niet bijzonder goed gedaan. Niettemin bloeiden de wereldhandel en de goederenproductie als nooit tevoren. Het overgrote deel van die groei deed zich bovendien voor in opkomende landen. De belangrijkste reden hiervoor is dat er een verandering is opgetreden in de bronnen van onze welvaart. Het traditionele economische driespan land, arbeid en kapitaal is vervangen door kennis. Bij kennis moet men vooral denken aan de trainingsmethoden en denkbeelden die tijdens de Tweede Wereldoorlog werden ontwikkeld in de VS. Dat bleek het einde van het axioma dat lage lonen gelijk staan aan een lage productiviteit. Door training zijn de werknemers nu overal ter wereld in staat om een topproductiviteit te bereiken; de desbetreffende landen zullen nog acht of tien jaar lage lonen kunnen blijven betalen.

Deze nieuwe feiten vragen om andere economische theorieën en een ander internationaal economisch beleid. Zelfs als een lagere wisselkoers de export van een land doet toenemen, tast hij het vermogen van het land aan om in het buitenland te investeren. Als de handel de investeringen volgt, zullen lagere wisselkoersen binnen enkele jaren de export van een land doen afnemen. Dat is de VS overkomen. De goedkopere dollar zorgde op de korte termijn voor een toename van de export van Amerikaanse producten, maar tegelijkertijd verminderde dat het vermogen van de Amerikaanse industrie om in het buitenland te investeren en daardoor op de lange termijn exportmarkten te creëren. Het resultaat is dat de Japanners nu een grote voorsprong hebben op de Amerikanen wat betreft marktaandeel en marktleiderschap in de opkomende landen van Oost- en Zuidoost-Azië.

De behoefte aan nieuwe theorieën en een nieuw beleid verklaart de plotselinge belangstelling voor de nationale ontwikkelingspolitiek van de negentiende-eeuwse Duitse econoom Friedrich R. List. Deze nationale ontwikkelingspolitiek wordt onder andere gepropageerd door James Fallows, hoofdredacteur van *U.S. News and World Report*. Maar eigenlijk was de politiek die List in Duitsland verkondigde in de jaren dertig van de negentiende eeuw – bescherming van opkomende industrieën om in het eigen land het zakenleven te bevorderen – niet van List en zelfs niet Duits. Deze politiek is strikt Amerikaans en zij is voortgekomen uit Alexander Hamiltons *Report on Manufactures* van 1791. Henry Clay heeft dit vijfentwintig jaar later uitgewerkt tot wat hij het Amerikaanse Systeem noemde. List, die in de VS onderdak vond als politiek vluchteling uit Duitsland, kwam met deze denkbeelden in aanraking toen hij de secretaris was van Clay.

Wat deze oude ideeën aantrekkelijk maakt, is dat Hamilton, Clay en List zich niet beperkten tot de handel. Zij waren noch voorstander van vrijhandel noch van protectionisme. Zij concentreerden zich op investeringen. De Aziatische economieën, om te beginnen het Japan van na de Tweede Wereldoorlog, hebben een beleid gevolgd dat sterk overeenkomt met wat Hamilton en Clay propageerden voor de nog jonge VS. De internationale economische politiek die in de volgende generatie waarschijnlijk zal opkomen, zal noch gekenmerkt worden door vrijhandel noch door protectionisme, maar zich richten op investeringen.

Verkopen zonder grenzen

De wereldeconomie dwingt bedrijven er steeds meer toe niet multinationaal maar internationaal te opereren. De traditionele multinational is een nationaal bedrijf met buitenlandse dochtermaatschappijen. Deze dochtermaatschappijen zijn klonen van het moederbedrijf. Een Duits dochterbedrijf van een Amerikaanse fabrikant is een zelfstandige onderneming die bijna alles wat ze binnen Duitsland verkoopt zelf vervaardigt, die haar voorraden daar inkoopt en vrijwel alleen Duitsers werk verschaft.

De meeste bedrijven die momenteel internationaal zaken doen, zijn georganiseerd als traditionele multinationals. Maar de transformatie naar internationale bedrijven is begonnen, en die verandering gaat snel. De producten of diensten kunnen hetzelfde zijn, maar de structuur is fundamenteel anders. In een internationaal bedrijf is maar één economische eenheid, namelijk de wereld. Plaatselijk gebonden zijn de verkoop, de serviceverlening, de public relations en de juridische zaken. Onderdelen, machines, planning, research, financiën, marketing, prijsbeleid en management zijn mondiaal georiënteerd. Een van de meest vooraanstaande Amerikaanse technische bedrijven vervaardigt bijvoorbeeld één wezenlijk onderdeel voor al zijn drieënveertig vestigingen over de hele wereld op één locatie buiten Antwerpen – en verder produceert het niets. Het heeft de productontwikkeling voor de hele wereld op drie plaatsen georganiseerd, en de kwaliteitscontrole op vier. Voor dit bedrijf zijn nationale grenzen grotendeels irrelevant geworden.

Het internationaal opererende bedrijf bevindt zich niet volledig buiten bereik van nationale overheden. Het dient zich aan te passen. Deze aanpassingen zijn echter uitzonderingen. Het beleid en de praktijken van het bedrijf zijn in hoofdzaak gericht op markten en technologieën overal ter wereld. Succesvolle internationale bedrijven zien zichzelf als afzonderlijke niet-nationale eenheden. Dit zelfbeeld blijkt duidelijk uit iets wat enkele tientallen jaren geleden nog ondenkbaar was: een topmanagement met een internationale samenstelling. 's Werelds bekendste managementconsultants, McKinsy en Co., hebben bijvoorbeeld hun hoofdkwartier in New York maar worden geleid door een Indiër. En gedurende vele jaren was de tweede man van Citibank, de enige grote commerciële bank die internationaal werkt, een Chinees. De Amerikaanse regering tracht deze trend tegen te gaan door Amerikaanse juridische begrippen en wetgeving geldig te verklaren tot buiten de eigen kusten. Dat gebeurt met het oog op antitrustwetten, wetten die een typisch Amerikaans idee belichamen. De regering tracht internationale bedrijven ook te beïnvloeden door de afkondiging van wetten die betrekking hebben op onrechtmatige handelingen, productaansprakelijkheid en corruptie. En Amerika gaat de strijd aan met internationale bedrijven door economische sancties tegen Cuba en Irak.

Hoewel de VS nog altijd 's werelds grootste economische macht is, en dat waarschijnlijk nog vele jaren zal blijven, is de poging om de wereldeconomie te vangen in Amerikaanse morele, juridische en economische concepten zinloos. In een globale economie waarin de hoofdrolspelers zich van het ene op het andere moment kunnen manifesteren, kan een economische macht niet meer blijvend domineren.

Niettemin is er zeker een behoefte aan morele, juridische en economische regels die overal ter wereld worden geaccepteerd en afgedwongen. De ontwikkeling van het internationale recht en van internationale organisaties die regels voor de wereldeconomie kunnen maken en handhaven, vormt derhalve een belangrijke uitdaging.

Oorlog in een wereldeconomie

Hoewel zij onderling onverenigbaar zijn, zijn de globale economie en de totale oorlog kinderen van deze eeuw. Het strategische doel van de traditionele oorlog was, in de beroemde formulering van Clausewitz, 'het vernietigen van de gevechtskracht van de vijand'. Oorlog diende gevoerd te worden tegen de vijandelijke soldaten en werd verondersteld de vijandelijke burgers en hun eigendommen niet te raken. Natuurlijk waren er altijd uitzonderingen. De mars door Georgia van Sherman tegen het eind van de Amerikaanse burgeroorlog was gericht tegen burgers en hun eigendommen, en minder tegen het armoedige leger van de Federatie. Maar dat ze een uitzondering is en ook zo bedoeld was, is een van de redenen dat ze nog zo levendig herinnerd wordt. Enkele jaren later deed Bismarck er tijdens de Frans-Duitse oorlog van 1870-1871 alles aan om het Franse financiële systeem intact te laten.

Tijdens de eerste oorlog van de twintigste eeuw, de Boerenoorlog, werd deze regel veranderd. De vernietiging van het vijandelijke potentieel om oorlog te voeren was het voornaamste doel van deze oorlog. Dat betekende zoveel als de vernietiging van de vijandelijke economie. Voor het eerst in de moderne westerse geschiedenis was een oorlog systematisch gericht tegen de burgerbevolking van de vijand. Om de moraal van de boerensoldaten te breken, dreven de Britten de vrouwen en kinderen van boeren bijeen in de eerste concentratiekampen die onze geschiedenis heeft gekend.

Vóór het jaar 1900 werd er in het Westen in het algemeen nog een regel in acht genomen: vijandelijke burgers die woonachtig waren in het eigen land dienden met rust gelaten te worden zolang zij zich niet inlieten met politieke activiteiten. Tijdens de Eerste Wereldoorlog interneerde Groot-Brittannië echter alle vijandelijke burgers, ook al zagen de VS, Duitsland en Oostenrijk daarvan af. Tot 1900 werden ondernemingen en eigendommen in handen van andere nationaliteiten of van bedrijven die gevestigd waren in een vijandelijk land met rust gelaten. Vanaf de Eerste Wereldoorlog werden zulke eigendommen geconfisqueerd en voor de duur van de oorlog onder toezicht van de regering geplaatst. Opnieuw waren het de Britten die hierin het voortouw namen.

Inmiddels zijn de regels van de totale oorlog al zo stevig geworteld dat de meeste mensen er zo ongeveer natuurwetten in zien. Nu we uitgerust zijn met raketten, satellieten en nucleaire wapens kan er geen sprake meer zijn van een terugkeer naar de negentiende-eeuwse overtuiging dat het de eerste taak van militairen is om de oorlog weg te houden van de eigen burgers. De moderne oorlog kent geen burgers meer. De vernietiging van de vijandelijke economie helpt de oorlog te winnen, maar zij tast de kansen van de overwinnaar aan om ook de vrede te winnen. Dit was een van de belangrijkste lessen van de twee naoorlogse perioden in deze eeuw, de twee decennia na 1918 en de vijf decennia na 1945. Het totaal nieuwe Amerikaanse beleid na de Tweede Wereldoorlog, dat onder ander het Marshall-plan bevatte, zorgde voor een snel herstel van de vroegere vijandelijke economieën en leidde ook voor de overwinnaars tot vijftig jaar ongekende economische expansie en welvaart. Dit beleid was te danken aan George Marshall, Harry Truman, Dean Acheson en Douglas MacArthur, die zich de catastrofale gevolgen herinnerden van de vredesvoorwaarden die na de Eerste Wereldoorlog werden opgelegd aan Duitsland. Als 'oorlog de voortzetting is van de politiek met andere middelen', om een andere formulering van Clausewitz te citeren, zal de totale oorlog aangepast dienen te worden aan de realiteit van de wereldeconomie.

Bedrijven transformeren van multinationale tot internationale ondernemingen. Dat betekent dat doctrines betreffende de totale oorlog nadelig kunnen zijn voor de oorlogsinspanningen van een land. Een voorbeeld: de grootste Italiaanse wapenfabrikant gedurende de Eerste Wereldoorlog was een autofabrikant genaamd Fiat. De grootste wapenproducent in Oostenrijk-Hongarije tijdens de Eerste Wereldoorlog was een dochtermaatschappij van Fiat die geheel in Oostenrijkse handen was. Zij was een paar jaar later opgericht dan het moederbedrijf in Italië, maar in 1914 was ze al wezenlijk groter en verder voortgeschreden dan de moedermaatschappij, dankzij het feit dat Oostenrijk-Hongarije een grotere markt vormde. Om van deze dochtermaatschappij met haar Italiaanse eigenaren een zwaartepunt te maken van de Oostenrijkse oorlogsindustrie, was feitelijk niet meer nodig dan een nieuwe bankrekening.

Vandaag de dag zou een dergelijke dochtermaatschappij hele auto's assembleren en verkopen, maar zelf wellicht alleen remmen fabriceren. De remmen van die maatschappij zouden gebruikt worden door alle vestigingen over de hele wereld en zij zou zelf alle andere onderdelen en benodigdheden ontvangen van andere dochtermaatschappijen waar ook ter wereld. Deze internationale integratie zou de kosten van de voltooide auto met 50 procent kunnen reduceren. Die zorgt er echter ook voor dat een individuele dochtermaatschappij vrijwel niet in staat is om iets te produceren als zij afgesneden is van de rest van het bedrijf. In veel ontwikkelde landen zijn bedrijven die internationaal geïntegreerd zijn nu goed voor een derde tot een vijfde deel van de industriële productie.

Ik pretendeer niet de groeiende tegenspraak tussen vredes- en oorlogseconomieën te kunnen oplossen. Er is echter wel een precedent. De meest vernieuwende politieke prestatie van de negentiende eeuw was het Internationale Rode Kruis. Nadat het in 1862 werd gelanceerd door een Zwitserse burger, Jean Henry Dunant, werd het binnen tien jaar 's werelds eerste internationale organisatie, en het is nog steeds de meest succesvolle. Wat het Rode Kruis presteerde bij het vastleggen van universele regels voor de behandeling van gewonden en krijgsgevangenen, zou nu misschien gedaan moeten worden met het oog op de behandeling van burgers en hun eigendommen. Ook daarvoor is naar alle waarschijnlijkheid een internationale organisatie nodig en, net als in het geval van het Rode Kruis, een substantiële inperking van de soevereiniteit van nationale staten.

Na de eerste Industriële Revolutie is gezegd dat onderlinge economische afhankelijkheid sterker zou blijken te zijn dan nationale hartstochten. Kant heeft dit als eerste gezegd. De gematigden van 1860 geloofden erin tot het moment dat de eerste schoten werden afgevuurd op Fort Sumter. De liberalen in Oostenrijk-Hongarije geloofden tot het allerlaatst dat hun economie veel te geïntegreerd was om te kunnen worden gesplitst in afzonderlijke landen. Michael Gorbatsjov geloofde er duidelijk ook in. Maar telkens wanneer in de afgelopen tweehonderd jaar politieke hartstochten en nationale politiek in botsing kwamen met de economische rationaliteit, moest de economische rationaliteit het afleggen.

(1997)

13

'It's the society, stupid'

Een ketterse visie

Het Amerikaanse beleid tegenover Japan, met name gedurende de economische crisis in Azië, is gebaseerd op vijf veronderstellingen. Voor de meeste Amerikaanse beleidsmakers, voor Japanse geleerden en zelfs voor een flink aantal managers zijn dat geloofsartikelen geworden. Maar stuk voor stuk zijn ze ofwel onjuist of in het beste geval zeer twijfelachtig:

1. De overheersende aanwezigheid van de overheidsbureaucratie wordt geacht uniek te zijn voor Japan. Hetzelfde geldt voor haar vrijwel volledige beleidsmonopolie en haar macht over het zakenleven en de economie via de zogenaamde administratieve richtlijnen.
2. Het terugbrengen van de rol van de bureaucratie tot wat die zou moeten zijn – de expert is beschikbaar maar bevindt zich niet aan de top – zou niet zo moeilijk zijn. Er is alleen politieke wil voor nodig.
3. Een heersende elite zoals de Japanse bureaucratie is onnodig in een moderne ontwikkelde maatschappij en ongewenst in een democratie.
4. De weerstand van de Japanse bureaucratie tegen deregulering, zeker binnen de financiële sector, moet gezien worden als een zich uit zelfbehoud vastklampen aan de macht. Dat zal tot ernstige schade leiden. Door het onvermijdelijke uit te stellen, kunnen de

zaken er alleen maar slechter voor komen te staan.
5. Tot slot: net als bij ons komt bij de Japanners – het zijn tenslotte intelligente mensen – de economie op de eerste plaats.

De juiste aannamen betreffende Japan zijn echter:
1. Bureaucratieën overheersen vrijwel alle ontwikkelde landen. De VS vormen samen met enkele minder dichtbevolkte Engelstalige landen zoals Australië, Nieuw-Zeeland en Canada eerder een uitzondering dan de regel. De Japanse bureaucratie is aanzienlijk minder overheersend dan die van ontwikkelde landen als Frankrijk.
2. Bureaucratische elites hebben een veel groter uithoudingsvermogen dan we bereid zijn toe te geven. Zij slagen erin gedurende tientallen jaren aan de macht te blijven, en dat ondanks schandalen en aangetoonde incompetentie.
3. De reden is dat ontwikkelde landen – met als enige uitzondering de VS – ervan overtuigd zijn dat ze een heersende elite nodig hebben. Zonder zo'n elite zou sociale desintegratie dreigen. Zij houden vast aan de oude elite tot er een algemeen aanvaardbare nieuwe kandidaat is, en zo'n kandidaat is in Japan in geen velden of wegen te bekennen.
4. De ervaring heeft de Japanners geleerd dat het zinnig is om dingen op de lange baan te schuiven. De afgelopen veertig jaar heeft Japan twee keer belangrijke en kennelijk onoplosbare sociale problemen overwonnen, niet door ze op te lossen maar door de oplossing op de lange baan te schuiven. Gevolg was dat de problemen tenslotte vanzelf verdwenen. Deze uitstelstrategie zal deze keer waarschijnlijk mislukken, gezien de wankele structuur en gebrekkige solvabiliteit van het Japanse financiële systeem. Op basis van eerdere Japanse ervaringen is uitstel echter geen irrationele strategie.
5. Het is een logische strategie aangezien voor de Japanse beslisser – of dat nu een politicus, een ambtenaar of een vooraanstaand manager is – de samenleving op de eerste plaats komt, en niet de economie.

Neerdalen uit de hemel

Neerdalen uit de hemel, dat is de Japanse benaming voor een systeem waarbij hoge ambtenaren die tussen hun vijfenveertigste en hun vijftigste de top hebben bereikt, adviseur worden bij grote ondernemingen. In de VS wordt dit systeem als iets typisch Japans gezien. Men beschouwt deze praktijk als de meest zichtbare manifestatie van de dominantie, macht en bevoorrechting van de Japanse bureaucratie. Niettemin betreft het hier een gebruik dat gemeengoed is in alle ontwikkelde landen, inclusief de VS.

Ik zal een persoonlijk voorbeeld geven. Mijn vader was direct na de Eerste Wereldoorlog de hoogste ambtenaar op het Oostenrijkse ministerie van Handel. Toen hij in 1923 afscheid nam, was hij nog geen vijftig, maar hij werd onmiddellijk benoemd tot bestuursvoorzitter van een grote bank. Zijn voorganger en zijn opvolger verging het niet anders, net als hun ambtgenoten op het ministerie van Justitie. Tot op de dag van vandaag dalen hoge Oostenrijkse ambenaren van belangrijke ministeries neer uit de hemel.

Japanse adviseurs die neerdalen uit de hemel worden goed betaald, maar hun baan stelt niet veel voor. Doorgaans wordt van hen niet eens verwacht dat ze naar kantoor komen, behalve om één keer per maand hun cheque te komen ophalen. In de meeste Europese landen gaat het er anders aan toe. Daar krijgen uittredende ambtenaren echte banen, net als de Oostenrijkse ambtenaren die ceo werden bij een bank.

Het gaat er niet om of dit verstandig is, het gaat erom dat deze praktijken overal voorkomen. In Duitsland wordt een ambtenaar die er niet in slaagt een toppositie te bemachtigen secretaris-generaal van een ondernemersvereniging. Dat is een baan met een goed salaris en werkelijke invloed. In Duitsland zijn ondernemers verplicht lid van een dergelijke vereniging. Alle bedrijven, met uitzondering van de allergrootste, moeten hun contacten met de regering en de vakbonden via deze verenigingen laten lopen. Als de ambtenaar sociaal-democraat is, krijgt hij een baan – met evenveel salaris en invloed – als econoom of secretaris-generaal van een vakbond. In Frankrijk stapt een ambtenaar die rond zijn veertigste of vijfenveertigste de ultieme post van *inspecteur de finance* heeft bereikt over naar een toppositie in de industriële of financiële wereld. Vrijwel iedere machtspositie in de Franse economie of maatschappij wordt bezet door een voormalige *inspecteur de finance*. Zelfs in het Verenigd Koninkrijk is het gebruikelijk dat een topambtenaar van een belangrijk ministerie na zijn pensionering toetreedt tot de leiding van een grote bank of verzekeringsmaatschappij.

Ook in de VS is het fenomeen van mensen die neerdalen uit de hemel allesbehalve onbekend. Hele rijen generaals en admiraals hebben na hun pensionering belangrijke posities bekleed in defensie- en ruimtevaartbedrijven. Congresleden en politieke ambtsdragers met een hoge of middenpositie bij uitvoerende organen, kortom de in Washington regerende elite, vergaat het niet anders. In groten getale dalen zij als vanzelfsprekend neer om goedbetaalde lobbyisten of partners van advocatenkantoren te worden.

Zelfs rond 1970, toen de Japanse bureaucratie op het hoogtepunt van haar macht was, had zij minder invloed op het zakenleven en de economie dan haar Europese tegenhangers. Zowel in Frankrijk als in Duitsland bezit de overheid grote delen van de economie. Een vijfde van Europa's grootste autofabrikant, Volkswagen, is eigendom van de deelstaat Saksen. Saksen heeft vetorecht en daarmee de absolute macht binnen het bedrijf. Tot voor kort was de Franse staat eigenaar van de belangrijkste banken en verzekeringsmaatschappijen in het land. Hetzelfde geldt voor Italië, qua grootte de derde Europese economie. De Japanse overheid bezit daarentegen naast de Postspaarbank vrijwel niets. Terwijl de Japanners zich beperken tot administratieve richtlijnen of het besturen door overreding, vertrouwen de Europeanen op dirigisme: de doorslaggevende stem van eigenaren en managers. Of dat nu werkt of niet.

De elite regeert

Zou het moeilijk zijn om de macht van de Japanse bureaucraten te beknotten? De bureaucratie kan bogen op een treurige staat van dienst. In de afgelopen vijfentwintig jaar sleepte ze zich van de ene mislukking naar de andere. Ze sloeg in de late jaren zestig en begin jaren zeventig volledig de plank mis toen het erom ging op de winnaar te gokken. Ze gokte op de supercomputer, een verliezer. Als gevolg daarvan heeft Japan nu een grote achterstand op het terrein van informatie- en communicatietechnologie.

In de jaren tachtig faalde de bureaucratie opnieuw. Een lichte recessie was genoeg om paniek te veroorzaken. Ze stortte Japan in een luchtbel van financiële speculatie, met als gevolg de huidige financiële crisis. De administratieve richtlijnen dreven banken, verzekeringsmaatschappijen en bedrijven tot investeringen in aandelen en onroerend goed tegen krankzinnig opgeblazen prijzen. Problematische leningen van de ergste soort waren het gevolg. Toen de luchtbel aan het begin van de jaren negentig uiteenspatte, slaagde de bureaucratie er niet in de Japanse economie weer op de rails te krijgen. Ze besteedde ongeëvenaarde bedragen aan pogingen om de prijzen van aandelen en onroerend goed te laten stijgen en de consumptie en de kapitaalsinvesteringen op te krikken. Zonder enig resultaat. In 1997 voegde de bureaucratie daar nog haar onvermogen aan toe om de financiële crisis op het Aziatische vasteland te voorzien. Zelfs toen de economieën daar al begonnen te wankelen, spoorde ze Japanse banken en bedrijven nog aan om meer in Azië te investeren.

Sindsdien is duidelijk geworden dat de bureaucratie doortrokken is van corruptie. Zelfs prestigieuze instellingen als de Bank of Japan en het ministerie van Financien bleven daarvan niet gevrijwaard. Dit kostte de bureaucraten hun claim op moreel leiderschap. Zelfs de grote bedrijven, ooit de meest overtuigde aanhangers van de bureaucratie, hebben zich van haar afgekeerd. De Keidanren, de organisatie van grote bedrijven, vraagt nu om deregulering en het beknotten van haar macht.

Toch gebeurt er niets. Erger nog, zelfs de bescheiden pogingen van politici om invloed uit te oefenen op de bureaucratie, bijvoorbeeld door het wegsturen van een machtige bureaucraat, worden een paar weken later gewoon weer ongedaan gemaakt. Volgens Amerikaanse begrippen is hier iets bijzonders gaande, iets typisch Japans.

Maar heersende elites – zeker als die, zoals in Japan, niet gebaseerd zijn op afkomst of rijkdom maar op functie – zijn buitengewoon taai. Ook als ze hun geloofwaardigheid en het respect van het publiek al lang verloren hebben, blijven ze nog op het pluche zitten. Neem nu de Franse militairen. De aanspraken van deze elite kwamen in 1890 onder vuur te liggen door het Dreyfus-schandaal. Zij bleek corrupt te zijn, onwaardig en oneerlijk. Zij bleek niet over de militaire deugden te beschikken die de aanspraken op maatschappelijk leiderschap moesten ondersteunen. Toch bleef zij aan de macht. Dat bleef ze zelfs nadat ze in de Eerste Wereldoorlog haar ongekende incompetentie had aangetoond en alleen in staat was gebleken tot zinloze massaslachtingen. Toen in West-Europa het pacifisme na de Eerste Wereldoorlog wijdverspreid was, raakte deze elite volledig in diskrediet. Toch bleek zij nog in staat te reageren toen de de regering-Blum pogingen in het werk stelde haar te vervangen door een ambtelijke elite. Gesteund door de Franse communisten dwongen de militairen Blum afstand te doen van de macht. In 1940 gaven de militairen opnieuw blijk van hun vergaande onbekwaamheid: zij zadelden Frankrijk op met een ongehoord vernederende nederlaag. Toch hadden ook toen de militairen nog genoeg macht over om de collaborateurs van Vichy de minst in diskrediet geraakte militair te laten kiezen, de vrijwel seniele maarschalk Petain. Zo herkregen ze hun legitimiteit en verwierven ze massale steun voor een marionettenregering.

Heersende elites hebben een buitengewoon talent om iedereen die hen beentje wil lichten, van repliek te dienen. Dat is zeker niet voorbehouden aan Japanse elites. Ontwikkelde landen, en zeker ontwikkelde democratieën, zijn ervan overtuigd dat zij een heersende elite nodig hebben. Anders zouden samenleving en politiek desintegreren, en daarmee de democratie. Alleen de VS en enkele kleinere Engelstalige landen ontsnappen aan dit mechanisme. De Amerikaanse samenleving heeft sinds de beginjaren van de negentiende eeuw geen elite meer gekend. De ervaring van Tocqueville is al door tal van buitenlandse waarnemers bevestigd: het ultieme kenmerk van de Amerikaanse maatschappij is dat iedere groep zich ondergewaardeerd, niet gerespecteerd en vaak zelfs gediscrimineerd voelt. Velen beschouwen dit juist als de grootste kracht van deze natie, maar Amerika vormt hiermee een uitzondering. Japan is de regel. In alle andere grote ontwikkelde landen wordt het als vanzelfsprekend beschouwd dat er bij afwezigheid van een heersende elite geen sprake kan zijn van politieke stabiliteit of sociale orde.

Neem nu Charles de Gaulle en Konrad Adenauer. Beiden werden als buitenstaanders afgewezen door de heersende elite (de Franse militairen respectievelijk de Duitse overheidsdiensten). Ondanks hun talenten werden promotie en invloed hun onthouden. De Gaulle werd pas generaal toen de Tweede Wereldoorlog uitbrak, en zelfs toen kreeg hij slechts het bevel over een kleine brigade. Adenauer werd algemeen erkend als 's lands meest capabele politicus en buitengewoon bekwaam bestuurder, maar hem werd nooit een kabinetspost aangeboden, laat staan het kanselierschap. Toch beschikte hij over veel betere geloofsbrieven dan de middelmatige kandidaten die afkomstig waren uit Weimar. Beide mannen toonden zich verbitterd over hun afwijzing door de heersende elite en uitten openlijk hun minachting. Zodra zij na de oorlog de macht in handen kregen, begonnen ze onmiddellijk met het creëren van een nieuwe machtselite.

Toen De Gaulle in 1945 president werd, maakte hij van de Franse ambtenarij direct een nieuwe elite. Hij verenigde een aantal totaal versnipperde, elkaar bestrijdende bureaucratieën in een centraal bestuurd orgaan. Hij gaf de ambtenaren de controle over de belangrijkste posities in de regering en de economie. De *inspecteurs de finance* kregen vrijwel onbeperkte macht. Ten slotte voorzag hij iedereen die was afgestudeerd aan de nieuwe elite-instelling, de Ecole Nationale d'Administration, van een soort nieuw brevet. De afgelopen veertig jaar is uit die klasse vrijwel iedere sociale, politieke of zakelijke leider in Frankrijk voortgekomen, inclusief natuurlijk vrijwel alle *inspecteurs de finance.*

Toen Adenauer in 1949 Bondskanselier werd, erfde hij een in diskrediet geraakte, gedemoraliseerde ambtenarij. Ze was getekend door de serviele houding die ze tegenover de nazi's had ingenomen. Adenauer stelde onmiddellijk pogingen in het werk om haar weer als elite te installeren. Zelf was hij twee keer door de nazi's gevangengenomen, maar ondanks zware druk van vooral Britse en Amerikaanse zijde beschermde hij de ambtenaren voor een denazificatieproces. De overheidsdienaren kregen van hem de loopbaangaranties en privileges terug die hen door de nazi's waren afgenomen, weer terug. Bovendien beschermde hij hen tegen ingrepen door locale politici. Aldus voorzag Adenauer de Duitse ambtelijke elite van een positie die zij nooit eerder had gekend. En deze keer werd de elite zelfs niet dwarsgezeten door de militairen, zoals nog onder de keizer en zelfs in de Republiek van Weimar het geval was geweest.

Zowel De Gaulle als Adenauer werden er openlijk van beschuldigd ondemocratisch te zijn. Beiden reageerden daarop met de stelling dat een moderne samenleving – en zeker een moderne democratie – dreigt te desintegreren zonder een heersende elite. Daar zat wel iets in. In de Weimarrepubliek bijvoorbeeld waren de militairen in diskrediet geraakt door de nederlaag in de Eerste Wereldoorlog. Niettemin behielden zij hun vetorecht. De ambtenaren die vóór 1918 onder de militairen een nauwelijks hoorbare tweede viool hadden gespeeld, waren ernstig verdeeld over de vraag of de republiek moest worden aanvaard. In nieuwe groepen die in de publieke arena verschenen, zoals leidende ondernemers en specialisten, zag men slechts beginners. Het ontbrak daardoor aan een algemeen geaccepteerde heersende klasse. Dat bleek van doorslaggevend belang te zijn voor de desintegratie van Weimar.

Natuurlijk klampen heersende elites waaraan ontwikkelde landen hun voortbestaan danken zich vast aan de macht. Dat doen alle machthebbers. Maar elites kunnen alleen aan de macht blijven zolang er geen alternatief voorhanden is. Ontbreekt een alternatief – en voor een alternatief is duidelijk iemand nodig van het formaat van De Gaulle of Adenauer – dan zal de heersende elite aan de macht blijven. Ook wanneer zij volledig in diskrediet is geraakt en niet langer functioneert.

In Japan is geen alternatief voorhanden. Historisch gezien vormt het leger de heersende elite. Het militaire bewind in de jaren dertig was vooral een voortzetting van de *shogun*, de militaire dictaturen die Japan in het verleden doorgaans regeerden. Maar het leger ondervindt geen enkele maatschappelijke steun. De grote ondernemingen hebben een ongekend aanzien, maar zij zouden als nieuwe machtselite niet geaccepteerd worden. Hetzelfde geldt voor professoren en specialisten. Tot nu toe komt alleen de bureaucratie in aanmerking, hoezeer zij ook in diskrediet is geraakt. Het doet er absoluut niet toe of deze feiten de Amerikaanse beleidsmakers nu wel of niet aanstaan. Het zijn de feiten. Het Amerikaanse beleid dient gebaseerd te zijn op de veronderstelling dat de bureaucratie in Japan in de nabije toekomst de heersende elite zal blijven. Of in ieder geval de machtigste, deregulering of niet.

Niet-handelen als beleid

Het gedrag van de heersende elite in Japan komt niet overeen met dat van haar Amerikaanse tegenhanger. In Amerika zijn elites politiek van aard. Ze hebben een achtergond in het bedrijfsleven of het Congres. Dat is trouwens een typisch Amerikaans verschijnsel dat in de rest van de wereld onbekend is. De heersende elite in Japan is echter een bureaucratie, en daar gedraagt ze zich ook naar.

Max Weber, de beroemde Duitse socioloog, zag in de bureaucratie een universeel fenomeen. Zij heeft tot doel ervaringen vast te leggen en daaruit gedragsregels te destilleren. De moderne Japanse bureaucratie gaat uit van drie fundamentele ervaringen: twee successen en een mislukking. Deze ervaringen vormen de grondslag voor haar gedragingen, zeker bij een belangrijke crisis.

Het eerste succes betreft een geval van niet-ingrijpen toen het naoorlogse Japan te lijden had van ernstige maatschappelijke problemen. Meer dan de helft van de bewoners van de landelijke gebieden was werkloos. Momenteel maken zowel in Japan als in de VS boeren niet meer dan 2 tot 3 procent van de beroepsbevolking uit, in 1950 was nog meer dan 20 procent van de handarbeiders in de VS boer. In Japan leefde echter nog zo'n 60 procent van de bevolking op het platteland. Men wist zich in leven te houden, maar dat was ook alles. In het begin van de jaren vijftig kenden de meeste Japanse boeren een zeer lage productiviteit. Toch slaagde de bureaucratie erin de druk te weerstaan om de overheid iets te laten doen aan de problemen van de boeren. Zij wilde best toegeven dat 'deze enorme, totaal onproductieve, overbevolkte agrarische sector een geweldig obstakel vormde voor economische vooruitgang'. Ze wilde zelfs wel toegeven dat 'het belonen van deze boeren voor hun onvermogen tot productiviteit neerkwam op het straffen van de Japanse consument, op een ogenblik dat de Japanse stedelingen nauwelijks voldoende verdienden om het hoofd boven water te houden'. Als ze de boeren ertoe zou bewegen hun grond te verlaten of productiever te worden, zou dat ernstige sociale gevolgen hebben gehad. Het zou namelijk betekend hebben dat de boeren ofwel nieuwe gewassen zoals sojabonen zouden zijn gaan verbouwen ofwel de rijstbouw verruild zouden hebben voor het fokken van kippen en vee. De enige zinvolle reactie was volgens de bureaucratie om helemaal niets te doen. En dat deed ze.

Economisch gezien betekende het Japanse agrarische beleid een ramp. In Japan zijn de boeren slechter af dan in welk ontwikkeld land ook. Japan verstrekt zijn boeren evenveel subsidie als andere ontwikkelde landen, inclusief de VS, maar anders dan die andere landen moet Japan nu meer voedsel importeren dan ooit tevoren. In maatschappelijk opzicht is het besluit niet in te grijpen echter een enorm succes geweest. Zonder de minste maatschappelijke onrust is Japan erin geslaagd een groot deel van de voormalige boerenbevolking op te nemen in de stedelijke populatie. Geen enkel ander ontwikkeld land heeft iets soortgelijks gepresteerd.

Ook het tweede grote succes van de Japanse bureaucratie betreft een geval van doelbewust niet-handelen. Het probleem was de distributie van goederen voor de detailhandel. Rond 1960 had Japan het meest gedateerde, kostbare en inefficiënte distributiesysteem van de ontwikkelde wereld. Het was eerder achttiende- dan negentiende-eeuws. Het omvatte duizenden familiebedrijfjes, minuscule zaakjes met enorme kosten en krankzinnig hoge marges, die allemaal net genoeg opbrachten om de eigenaren niet te laten sterven. Economen en ondernemers verkondigden dat een efficiënt distributiesysteem noodzakelijk was voor een gezonde en moderne economie. De bureaucratie weigerde echter te hulp te schieten. Zij deed juist het omgekeerde: ze kondigde de ene na de andere maatregel af om de groei van supermarkten en discountzaken af te remmen. De bureaucraten waren het erover eens dat 'het bestaande detailhandelsysteem volslagen verouderd is. In sociaal opzicht functioneert het echter als een vangnet. Iemand die zijn baan kwijtraakt of op zijn vijfenvijftigste gepensioneerd wordt en maar een paar maanden een uitkering krijgt, kan altijd tegen een minimumloon een baantje krijgen in de winkel van zijn neef.' In Japan ontbrak het in die tijd nog volledig aan werkloosheidsverzekeringen en pensioenen.

Veertig jaar later is in sociaal en economisch opzicht het probleem van de distributie voor de detailhandel volledig verdwenen. De familiezaakjes bestaan nog wel, maar vooral in de grote steden zijn de meeste omgevormd tot franchisenemers van nieuwe, grote detailhandelsketens. De bedompte oude winkeltjes zijn verdwenen. Wat er nu nog aan kleine winkels bestaat is schoon, goed verlicht en uitgerust met computers. Ze worden centraal geleid. Japan heeft momenteel misschien wel 's werelds meest efficiënte en goedkoopste distributiesysteem en de familiebedrijfjes renderen prima.

Ook van de derde bepalende ervaring heeft de Japanse bureaucratie geleerd om niet te handelen. Anders dan de eerste twee betrof het hier een gigantische mislukking. Deze mislukking kwam voort uit het negeren van bovenstaande lessen en een miskenning van het nut dat uitstel en vertraging kunnen hebben.

In de vroege jaren tachtig kende Japan een lichte vertraging in de groei van de economie en de werkgelegenheid. Vrijwel overal elders zou men dit niet eens een recessie hebben genoemd. Deze vertraging viel echter samen met het verlaten van de vaste dollar/yen-wisselkoersverhouding en een snelle daling van de waarde van de dollar, waardoor men in Japan, van oudsher afhankelijk van de export, in paniek raakte. De bureaucraten moesten toegeven aan de ontstane publieke druk en kozen voor een activistische opstelling. Ze gaven enorme sommen uit in een poging de economie te stimuleren. Het resultaat was rampzalig. De begrotingstekorten van de overheid gingen die van andere ontwikkelde landen te boven. De aandelenmarkt beleefde een ongekende *boom*, waardoor de koers-winstverhoudingen op vijftig of hoger kwamen te liggen. De prijzen van onroerend goed in de steden stegen zelfs nog sterker en de banken, die overspoeld werden door geld waarvoor geen solide leners beschikbaar waren, leenden hun geld halsoverkop uit aan speculanten. De luchtbel spatte natuurlijk uiteen. Banken en verzekeringsmaatschappijen verloren veel geld op aandelen en onroerend goed en moesten leningen als oninbaar kwalificeren. De huidige financiële crisis is daarvan een product.

Latere gebeurtenissen hebben de bureaucratie alleen maar gesterkt in haar overtuiging dat uitstel beter is dan ingrijpen. De afgelopen twee jaar hebben Japanse politici en de publieke opinie, daartoe mede aangezet door druk vanuit Washington, de regering ertoe gebracht meer geld in de economie te pompen dan enig ander Westers land. Zonder het minste resultaat.

Het maatschappelijk verdrag

De manier waarop de Japanse bureaucratie momenteel de crisis in het banksysteem te lijf gaat, of eigenlijk niet te lijf gaat, wordt door westerlingen doorgaans gezien als louter politieke lafheid. Dat is in ieder geval de mening van Washington, van het Amerikaanse ministerie van Financiën, van de Wereldbank en het IMF. Voor degenen die het in Tokio voor het zeggen hebben, lijkt uitstellen en vertragen echter het enige zinvolle beleid.

Tot nu toe weet niemand hoeveel Japanse financiële instituten te lijden hebben gehad van het uiteenspatten van de luchtbel. Bij die verliezen in eigen land dreigen nu ook nog enorme verliezen te komen vanwege de economische crisis in andere Aziatische landen. Japanse banken hadden in landen als Zuid-Korea, Thailand, Indonesië, Maleisië en China meer leningen uitstaan dan banken elders.

Nog nooit heeft een ontwikkeld land na de Tweede Wereldoorlog voor zo'n zware financiële crisis gestaan als Japan op dit moment. Volgens een schatting in *Business Week* van mei dit jaar zal het Japanse bankwezen uiteindelijk op de thuismarkt verliezen moeten afschrijven van 1 biljoen dollar. Daar zitten dan de verliezen op leningen en investeringen in Azië nog niet eens bij. Dit bedrag ligt nog hoger dan de hoogste schatting van de verliezen in de VS na het debacle rond spaartegoeden en leningen vijftien jaar geleden. En de Japanse economie is nauwelijks half zo groot als die van de VS. Het komt neer op zo'n 12 procent van alle door Japanse financiële instellingen beheerde fondsen.

Maar ernstiger, en ook lastiger te hanteren, zijn de sociale gevaren die de bankencrisis met zich meebrengt. Het hele Japanse financiële systeem is nu al radicaal afgeslankt. De bankensector is uit zijn jasje gegroeid, niet wat betreft het aantal instellingen maar wat betreft het aantal bankafdelingen. Ze zijn alomtegenwoordig en hebben veel te veel personeel. Japanse en Amerikaanse financiele experts schatten dat Japanse commerciële banken per duizend transacties drie tot vijf keer zoveel mensen in dienst hebben als Amerikaanse of Europese banken. Hierdoor is de sector een van Japans grootste, en meest betalende, werkgevers geworden. De meeste overbodige maar goedbetaalde werknemers zijn mensen van middelbare leeftijd die over beperkte vaardigheden beschikken. Na een eventueel ontslag zouden zij moeilijk weer aan het werk komen. In Japan is de werkloosheid nu al gestegen naar het hoogste niveau in veertig jaar. Volgens de officiële Japanse cijfers is de werkloosheid 4 procent, maar volgens Amerikaanse of Europese definities zou die 7 of 8 procent zijn. Twee jaar geleden lag het officiële werkloosheidscijfer nog onder de 3 procent.

Een ander gevaar is ernstiger. Het maatschappelijke verdrag over levenslange werkgelegenheid zoals Japan dat kent, zou bedreigd kunnen worden. Als de banken grote aantallen werknemers de laan uit sturen, zou deze overeenkomst ondergraven worden. Hoe ernstig de Japanners de sociale gevolgen van de crisis inschatten, blijkt wel als je ziet hoe ver ze willen gaan om een paar banen in stand te houden. Ze hebben iets gedaan wat bijna ondenkbaar was: een Amerikaanse financiële instelling, Merrill Lynch, toegestaan (waarschijnlijk gewoon uitgenodigd) om de belangrijkste afdelingen van Yamaichi over te nemen toen dat bedrijf in 1997 omviel. Yamaichi is de op drie na grootste Japanse beurshandelaar. De reden was simpel: Merrill Lynch beloofde een zesde van de werknemers, een paar duizend mensen, over te nemen. Zes weken eerder hadden hoge Japanse ambtenaren van het ministerie van Financiën, dat toezicht houdt op de aandelenhandel, nog beweerd dat ze nooit zouden toestaan dat een buitenlands bedrijf een rol zou gaan spelen bij de handel in Japanse waardepapieren.

De financiële crisis ondermijnt de structuur van het Japanse bedrijfsleven en die van de maatschappij. Ze zou zelfs het einde kunnen inluiden van de meest karakteristieke Japanse organisatie: de *keiretsu.* Keiretsu is de benaming voor het cluster van bedrijven rond een belangrijke bank. Anders dan wat in het Westen wordt gedacht, dient de keiretsu niet in de eerste plaats commerciële belangen. Zijn belangrijkste doel is op te treden als de directie voor de aangesloten bedrijven, aangezien de leiding van elk bedrijf officieel berust bij een interne managementcommissie. De keiretsu verwijdert incompetente topmanagers en onderzoekt voorgestelde promoties binnen de top van de aangesloten bedrijven, maar boven alles is de keiretsu een orgaan voor onderlinge steunverlening. De leden van een deelnemend bedrijf bezitten samen voldoende aandelen van de overige leden om ervoor te zorgen dat de keiretsu de zeggenschap heeft over de bedrijven. Op die manier worden alle leden beschermd tegen buitenstaanders en vijandelijke overnames. Bovendien garandeert hij levenslange werkgelegenheid. Als een lid van de keiretsu in zulk zwaar weer verzeild raakt dat er mensen ontslagen moeten worden, zullen de andere leden van de keiretsu voor vervangende werkgelegenheid zorgen. Dat stelt het keiretsulid in staat om de kosten te drukken en tegelijk de belofte van duurzame werkgelegenheid na te komen.

Zal de keiretsu de financiële crisis overleven? De banken, die het middelpunt vormen van de keiretsu, zijn begonnen hun belangen in de groep te verkopen, teneinde de verliezen te beperken. Op hun beurt verkopen steeds meer leden van de keiretsu hun aandelen in de andere leden om aan geld te komen om hun balans te verbeteren. Wat zal, afgezien van de bedreiging van de levenslange werkgelegenheid en baangaranties, de opvolger zijn van de keiretsu als het organisatorische beginsel van de Japanse economie?

Deze vragen zijn nog niet te beantwoorden. Mogelijk is niets doen de enig rationele handelwijze voor de Japanse bureaucratie. Dat uitstel het probleem voor de banken kan reduceren tot een hanteerbare omvang, is waarschijnlijk ijdele hoop, maar het Westen – en zeker de VS – kan alleen maar hopen dat de uitstelstrategie opnieuw effect zal sorteren. Momenteel oefent Washington druk uit op Tokio om iets te doen, bijvoorbeeld een snelle deregulering van de financiële sector. De Amerikaanse politieke, strategische en economische belangen zouden echter wel eens veel sterker bedreigd kunnen worden door de sociale onrust in Japan dan de beoogde maatregelen voor Amerikaanse bedrijven of de Amerikaanse economie zouden kunnen opleveren.

'It's the society, stupid'

Wie denken, werken en handelen van de Japanse bureaucratie wil begrijpen, moet uiteindelijk begrijpen wat de Japanse prioriteiten zijn. Amerikanen gaan ervan uit dat de economie bij politieke besluitvorming op de eerste plaats komt, zolang tenminste de nationale veiligheid niet in het geding is. Voor de Japanse bureaucratie staat de samenleving voorop, en daarin staat ze zeker niet alleen.

Opnieuw vormt de VS de uitzondering en is Japan de regel. In de meeste andere ontwikkelde landen wordt de economie voor het beleid niet gezien als een doorslaggevende factor. De ideologie en vooral de invloed op de samenleving komen daar op de eerste plaats.

Zelfs in de VS is de hoofdrol van de economie in het openbare leven en de politiek van betrekkelijk recente datum. Verder dan de Tweede Wereldoorlog gaat het niet terug. Tot die tijd had de VS de neiging de maatschappij prioriteit te geven. Ondanks de depressie plaatste de New Deal-politiek sociale hervormingen boven economisch herstel. De Amerikaanse kiezers waren het daar in grote meerderheid mee eens.

Het is wel niet uniek voor Japan, maar het op de voorgrond

plaatsen van de maatschappij is voor de Japanners waarschijnlijk belangrijker dan voor andere ontwikkelde landen, met uitzondering misschien van Frankrijk. Van buitenaf gezien lijkt Japan gekenmerkt te worden door een buitengewone sociale kracht en cohesie. Geen enkele andere maatschappij is ooit zo succesvol geweest in haar reactie op ongewone uitdagingen en veranderingen. Zo zorgden de zwarte schepen van commandant Perry in 1860 ervoor dat Japan een ommezwaai maakte van 180 graden. Gedurende meer dan tweehonderd jaar was het land hermetisch van de buitenwereld afgesloten geweest. 's Werelds meest geïsoleerde land stelde zich nu van de ene op de andere dag bloot aan de westerse moderniteit. Even traumatisch waren de radicale maatschappelijke omwenteling en de lange jaren onder een vreemde bezetter na de nederlaag in 1945. Niettemin beschouwen de Japanners de maatschappij als iets kwetsbaars. Ze beseffen dat ze twee keer op het randje van een inzinking en een burgeroorlog hebben gestaan. Vandaar dat er ook zoveel belang wordt toegekend aan bijvoorbeeld levenslange baanzekerheid als maatschappelijk bindmiddel.

Het gaat er niet om of de Japanse maatschappij robuust of kwetsbaar is. Waar het om gaat is dat haar hoofdrol voor Japanners vanzelfsprekend is. Als Amerikanen dit zouden begrijpen, zeker nu Japan in moeilijkheden verkeert, zouden ze zich misschien minder vastklampen aan mythen over de nutteloosheid van de Japanse bureaucratie. Het is natuurlijk nog steeds ketterij om de bureaucraten te verdedigen, maar anderzijds ligt ketterij vaak dichter bij de waarheid dan volkswijsheid.

(1998)

14

De stad civiliseren

De stad civiliseren zal in steeds meer landen de hoogste prioriteit krijgen. Dat geldt zeker voor ontwikkelde landen als de VS, het Verenigd Koninkrijk en Japan. Overheden noch bedrijven zijn echter in staat om de gemeenschappen te ontwikkelen waaraan iedere wereldstad behoefte heeft. Daartoe zijn alleen organisaties in staat die los van de overheid, zonder winstoogmerk en niet bedrijfsmatig opereren.

Toen ik geboren werd, een paar jaar voor het begin van de Eerste Wereldoorlog, leefde en werkte maar één op de twintig mensen in een stad. In die tijd was de stad nog de uitzondering, een kleine oase in een landelijke wereld. Zelfs in de meest geïndustrialiseerde en verstedelijkte landen, bijvoorbeeld Engeland en België, vormde het deel van de bevolking dat op het land woonde nog altijd een kleine meerderheid.

Aan het eind van de Tweede Wereldoorlog leefde een kwart van de Amerikaanse bevolking nog altijd op het land. In Japan was dat nog drie vijfde. Zowel in deze landen als in andere ontwikkelde landen is het aandeel van de landelijke bevolking gedaald tot onder de 5 procent, en die daling zet zich nog steeds voort. In de ontwikkelde wereld groeien de steden. Dat gebeurt zelfs in India en China, twee grote landen die nog altijd overwegend ruraal zijn. Maar de landelijke bevolking neemt er nog niet af. Overal in de ontwikkelde wereld willen mensen die op het land wonen naar de stad verhuizen, ook al zijn daar voor hen geen banen en geen woningen.

Het enige voorbeeld van een dergelijke demografische omwenteling zijn gebeurtenissen die tienduizend jaar geleden plaatsvonden. Onze verre voorouders kozen toen voor vaste vestigingsplaatsen om boer te worden. Hun transformatie besloeg duizenden jaren, die van ons had minder dan een eeuw nodig. De moderne tijd kent daarvoor geen precedent. Helaas zijn ook de nieuwe instituties schaars, net als de succesverhalen. De ontwikkeling van gemeenschapszin in de stad vormt echter de sleutel voor het overleven en de gezondheid van de nieuwe stedelijke samenleving.

Feiten over het leven op het land

In een rurale samenleving maakt ieder individu deel uit van leefgemeenschappen. Die gemeenschappen vormen daar een vanzelfsprekendheid, ongeacht of de familie centraal staat, godsdienst, sociale klasse of kaste. Sociale mobiliteit komt weinig voor en als ze al voorkomt is het doorgaans in neerwaartse richting.

Vooral in het Westen is het leven op het land duizenden jaren geromantiseerd. Van landelijke gemeenschappen werden idyllische portretten geschetst. Van zulke gemeenschappen gaat echter altijd veel dwang en macht uit.

Een recent voorbeeld. Vijftig jaar geleden woonde ik met mijn gezin in het landelijke Vermont. Destijds was de bekendste figuur in het land de telefoniste uit de advertenties van de Bell Telephone Company. Iedere dag meldden de advertenties dat zij de spil vormde van onze gemeenschap. Zij was altijd beschikbaar als er hulp nodig was.

De feiten lagen iets anders. In Vermont was de telefonie toen nog niet geautomatiseerd. Als je de hoorn oppakte, kreeg je geen kiestoon. Als het goed was kreeg je wel een van die fantastische, de gemeenschap dienende telefonistes aan de lijn. Toen ten slotte ook in het landelijke Vermont de telefoon werd geautomatiseerd, was het overal feest. Zeker, de telefoon was er altijd. Maar als je bijvoorbeeld de kinderarts wilde spreken, dr. Wilson, omdat een van de kinderen hoge koorts had, kon het zijn dat de telefoniste zei: 'Dr. Wilson is momenteel niet bereikbaar. Hij is uit met zijn vriendin.' Of: 'U hebt dr. Wilson helemaal niet nodig. Zo ziek is uw kind niet. Kijk maar of uw kind morgenochtend nog koorts heeft.' Van de gemeenschap ging niet alleen dwang uit, ze was ook erg opdringerig.

Dit verklaart waarom iedereen die op het platteland woonde er duizenden jaren van heeft gedroomd om naar de stad te gaan. *Stadtluft macht frei*, volgens een Duits gezegde uit de elfde of twaalfde eeuw. De lijfeigene die erin slaagde het leengoed te ontsnappen en de stad binnen te komen, was een vrij man. Hij werd een burger. Om die reden hebben wij nog altijd een idyllisch beeld van de stad. Dat beeld is net zo onrealistisch als het idyllische beeld van het leven op het land.

Wat de stad aantrekkelijk maakte, maakte hem ook anarchistisch: de anonimiteit en de afwezigheid van een dwang uitoefenende gemeenschap. De stad was in feite het centrum van de cultuur. Daar werkten en bloeiden de kunstenaars en de geleerden. Juist omdat er geen gemeenschap was, was er de mogelijkheid van opwaartse mobiliteit. Maar onder die dunne laag vernis van specialisten, kunstenaars en geleerden, achter de welvarende handelaren en de vaardige handwerkslieden in hun gilden, heerste de sociale en morele anomie. Er was prostitutie, banditisme en wetteloosheid. In de stad leven betekende bovendien dat men was blootgesteld aan ziekte en epidemieën. Tot zo'n honderd jaar geleden was geen enkele stad in staat om de omvang van zijn bevolking in stand te houden. Die was afhankelijk van de mensen die van het land naar de stad kwamen. Pas in de negentiende eeuw kwam de levensverwachting in de steden in de buurt van die op het platteland, dankzij de aanleg van waterleiding en riolering en de mogelijkheid tot vaccinatie en quarantaine.

De stad kende schitterende uitingen van hoge cultuur. Dat gold voor het Rome van de keizers, voor het Byzantijnse Constantinopel, voor het Florence van de De Medici en voor het Parijs van Lodewijk de Veertiende (briljant geportretteerd door Dumas in zijn *De drie musketiers*, de grootste bestseller van de negentiende eeuw). Het gold voor het Londen van Dickens. Maar het was een vliesdunne laag boven een stinkend moeras. Tot ongeveer 1880 kon een vrouw op geen enkel moment alleen de stad in gaan. Ook voor mannen was het niet veilig om nog laat naar huis te lopen.

De noodzaak van een gemeenschap

Juist omdat de stad bevrijding beloofde van de dwingende, alomtegenwoordige gemeenschap, was hij aantrekkelijk. Maar hij was slecht omdat hij daar zelf geen enkele vorm van gemeenschap tegenover stelde.

Mensen hebben gemeenschappen nodig. Bij afwezigheid van gemeenschappen met constructieve oogmerken zullen er destructieve, moordzuchtige gemeenschappen ontstaan. Denk maar aan de bendes in het Victoriaanse Engeland of de bendes die momenteel het sociale weefsel van grote Amerikaanse steden bedreigen. Daarmee krijgen grote steden overal ter wereld in toenemende mate te maken.

De Duitse socioloog Ferdinand Toennies was de eerste die naar voren bracht dat mensen gemeenschappen nodig hebben. Hij deed dat in zijn boek uit 1887 *Gemeinschaft und Gesellschaft*, een van de klassiekers van de sociologie. Maar de gemeenschap die Toennies meer dan een eeuw geleden nog veilig hoopte te kunnen stellen – de organische gemeenschap van het traditionele platteland – is voorgoed verleden tijd. Daarom staan we nu voor de taak stedelijke gemeenschappen te creëren, al hebben die nog nooit bestaan. Anders dan bij traditionele gemeenschappen moeten deze nieuwe gemeenschappen berusten op vrijheid en vrijwilligheid. Ze moeten het individu in de stad in staat stellen om iets te presteren, om een bijdrage te leveren en een zinvolle rol te spelen.

Vanaf de Eerste Wereldoorlog, maar zeker na de Tweede, heeft men overal ter wereld gedacht dat het de taak van de overheid was om via sociale programma's te voorzien in de behoefte van steden aan gemeenschappen. Dat geldt zowel voor democratieën als voor dictaturen. We beseffen nu dat dit grotendeels een illusie was. De sociale programma's van de afgelopen halve eeuw hebben over het algemeen geen succes gehad. Ze zijn er in ieder geval niet in geslaagd om het vacuüm op te vullen dat ontstond door het verdwijnen van de traditionele gemeenschap. De behoefte daaraan was heel reëel en het geld was er. In sommige landen ging het om enorme bedragen. Hoe dan ook, de resultaten zijn weinig imponerend geweest.

De particuliere sector, het bedrijfsleven, kan evenmin aan die behoefte voldoen. Dat is inmiddels ook wel duidelijk, hoewel ik daar ooit heel anders over heb gedacht. In een boek uit 1943, *The Future of Industrial Man*, stelde ik de 'zichzelf besturende bedrijfsgemeenschap' voor. Ik doelde daarmee op een gemeenschap binnen de grote onderneming, die nieuwe sociale organisatie. Het werkte wel, maar alleen in Japan. En zelfs daar, blijkt nu wel, voldoet het niet als oplossing. In de eerste plaats kan geen enkel bedrijf zekerheid bieden. De baan voor het leven, zoals die in Japan gebruikelijk was, blijkt een gevaarlijke illusie te zijn. Belangrijker is nog dat een baan voor het leven en de 'zelfbestuurde bedrijfsgemeenschap' niet passen bij de feiten van de moderne kennissamenleving. De particuliere sector is steeds meer een manier geworden om in je levensonderhoud te voorzien en steeds minder een manier van leven. Ze dient ruimte te bieden voor materieel succes en persoonlijke prestaties, en dat zal ze ook blijven doen. Maar de grote onderneming is duidelijk, om de termen van Toennies na 110 jaar nog eens te gebruiken, minder een Gemeinschaft dan een Gesellschaft.

Het enige antwoord

Alleen organisaties die los staan van de overheid en geen winstoogmerk hebben zijn in staat iets te creëren wat aan onze behoeften voldoet. Wat we nodig hebben is een gemeenschap voor burgers; dat geldt zeker voor de hooggeschoolde kenniswerkers die in ontwikkelde samenlevingen een steeds belangrijker positie innemen. En wil iedereen vrijelijk kunnen kiezen, dan zullen er veel gemeenschappen nodig zijn. Te denken valt aan kerken, beroepsverenigingen, organisaties voor daklozen en gezondheidsclubs. Alleen non-profitorganisaties zullen kunnen voorzien in de benodigde diversiteit aan gemeenschappen. Zij zijn ook als enige in staat te voldoen aan de tweede behoefte van de stad: de behoefte aan wezenlijk burgerschap voor zijn inwoners. Alleen sociale instellingen kunnen mensen de mogelijkheid bieden om als vrijwilliger te werken. Op die manier worden mensen in staat gesteld om deel uit te maken van een sfeer waarin ze het voor het zeggen hebben en waarin hun aanwezigheid zinvol is.

Zeker in de ontwikkelde wereld heeft de twintigste eeuw een explosieve groei te zien gegeven van overheid en bedrijfsleven. Wat de eenentwintigste eeuw vooral nodig heeft, is een niet minder explosieve groei van de niet-commerciële sociale sector. Die is nodig voor de opbouw van gemeenschappen in de stad, die nog niet zo lang onze sociale omgeving is.

(1998)

DEEL IV

De nieuwe samenleving

15

De nieuwe samenleving

Of de nieuwe economie er nu wel of niet komt, het staat vast dat de nieuwe samenleving al voor de deur staat. In de ontwikkelde wereld, maar waarschijnlijk ook in de ontwikkelingslanden, zal deze nieuwe samenleving heel wat belangrijker zijn dan de nieuwe economie. Ze zal duidelijk verschillen van de samenleving van eind twintigste eeuw, en ook van wat de meeste mensen verwachten. Veel zal totaal nieuw zijn. Toch is het meeste al aanwezig of ontwikkelt zich in hoog tempo.

In de ontwikkelde wereld zal de nieuwe samenleving vooral gekenmerkt worden door iets waaraan de meeste mensen nu pas aandacht gaan schenken: de snelle groei van het aantal ouderen en de snelle afname van het aantal jongeren. Politici beloven nog steeds dat ze het bestaande pensioensysteem in stand zullen houden, maar zowel zij als hun kiezers weten maar al te goed dat binnen vijfentwintig jaar mensen zullen moeten blijven werken tot halverwege de zeventig, als hun gezondheid dat tenminste toestaat.

Wat nog niet is doorgedrongen, is dat een groeiend aantal ouderen – denk aan de mensen boven de vijftig – niet zal blijven werken als traditionele voltijdse werknemers met een van-negen-tot-vijfbaan, maar op tal van andere manieren actief zal worden op de arbeidsmarkt: als uitzendkracht, als parttimer, als consultant of via allerlei speciale regelingen. Wat vroeger de afdeling Personeelszaken was en wat nu bekend is als de afdeling Human Resources, gaat er nog steeds van uit dat de mensen die voor een organisatie werken voltijdse werknemers zijn. Dezelfde aanname zit ook verscholen in allerlei wetten en regelingen die met arbeid te maken hebben. Echter, binnen twintig of vijfentwintig jaar zal misschien wel de helft van alle mensen die voor een organisatie werken niet bij dat bedrijf in dienst zijn, en zeker niet voltijds. Dit zal in ieder geval gelden voor oudere mensen. Hoe met mensen te werken, zal in toenemende mate het centrale managementvraagstuk worden van organisaties die personeel in dienst hebben. En dit geldt niet alleen voor bedrijven in de marktsector.

De afname van het aantal jongeren zal nog grotere effecten hebben, al was het alleen maar omdat zoiets nog nooit gebeurd is sinds de laatste eeuwen van het Romeinse Rijk. In alle ontwikkelde landen, maar ook in China en Brazilië, ligt het geboortecijfer beneden het vervangingscijfer van 2,2 levendgeborenen per vrouw. In politiek opzicht betekent dit dat immigratie een belangrijke kwestie zal worden, die dwars door alle traditionele politieke scheidslijnen heen gaat. In economisch opzicht zal de afname van het aantal jongeren de markten fundamenteel veranderen. Een toenemende gezinsgrootte is in het verleden de drijvende kracht geweest achter alle thuismarkten in de ontwikkelde wereld. De snelheid waarmee gezinnen gevormd worden, zal echter zeker afnemen, tenzij de grootschalige immigratie van jonge mensen wordt bevorderd. De homogene consumentenmarkt die na de Tweede Wereldoorlog in alle rijke landen is opgekomen, is van meet af aan sterk bepaald geweest door de jeugd. Deze markt zal voortaan bepaald worden door mensen van middelbare leeftijd. De kans is groot dat de markt zich zal splitsen in een markt gedomineerd door mensen van middelbare leeftijd en een veel kleinere markt die gedomineerd wordt door jongeren. Aangezien het aantal jongeren zal afnemen, wordt het steeds belangrijker om nieuwe arbeidspatronen te ontwikkelen die aantrekkelijk zijn voor het groeiend aantal ouderen, en dan met name voor geschoolde ouderen.

Kennis is alles

De nieuwe samenleving zal een kennissamenleving zijn. Kennis wordt de belangrijkste troef en kenniswerkers worden de belangrijkste groep werknemers. De drie belangrijkste kenmerken zullen zijn:
1. Het wegvallen van grenzen, aangezien kennis zich veel gemakkelijker verplaatst dan geld.
2. De mogelijkheid van opwaartse mobiliteit vanwege algemeen aanwezige scholingsfaciliteiten.
3. De mogelijkheid van mislukkingen en successen. Iedereen kan zich de middelen verwerven, de kennis die nodig is voor een baan, maar niet iedereen kan die baan krijgen.

Samen zullen deze drie kenmerken ervoor zorgen dat de kennissamenleving zeer concurrerend wordt voor organisaties en individuen. Informatietechnologie, hoewel maar een van de vele nieuwe aspecten van de nieuwe samenleving, heeft nu al een enorm effect. Door deze technologie kan kennis zich bijna ogenblikkelijk verspreiden en komt kennis voor iedereen beschikbaar. Gegeven het gemak en de snelheid waarmee informatie zich verplaatst, dient iedere organisatie in de kennissamenleving op wereldschaal te kunnen concurreren. Tegelijkertijd zullen de meeste organisaties een lokale binding houden met hun activiteiten en hun markten. Dat geldt niet alleen voor bedrijven, maar ook voor scholen, universiteiten en ziekenhuizen, en in toenemende mate ook voor overheidsinstellingen. Internet zal klanten wereldwijd informeren over wat ergens ter wereld beschikbaar is en tegen welke prijs.

De nieuwe kenniseconomie zal zwaar steunen op de kenniswerkers. Momenteel wordt dit begrip algemeen gebruikt ter aanduiding van mensen met een aanzienlijke theoretische kennis en scholing: artsen, advocaten, leraren, accountants en chemische technologen, maar de sterkste groei zal te zien zijn bij computertechnici, software-ontwikkelaars, laboranten, productietechnologen en juridische medewerkers. Deze mensen verenigen handwerk met kenniswerk. Zij brengen in de praktijk meer tijd door met handwerk dan met denkwerk, maar hun handwerk is gebaseerd op een forse hoeveelheid theoretische kennis die alleen verworven kan worden via formele scholing. Ze worden doorgaans niet beter betaald dan de traditionele geschoolde arbeiders, maar zelf zien ze zich als specialisten. Zoals ongeschoolde productiearbeiders de overheersende sociale en politieke macht vormden in de twintigste eeuw, zo zullen kennistechnologen waarschijnlijk de dominante sociale, en mogelijk ook politieke, macht worden in de komende tientallen jaren.

Het nieuwe protectionisme

In structureel opzicht onderscheidt de nieuwe samenleving zich al van de samenleving waarin de meesten van ons nu nog leven. De twintigste eeuw heeft de snelle neergang laten zien van de sector die de maatschappij gedurende 10.000 jaar heeft gedomineerd: de landbouw. De agrarische productie bedraagt nu het vier- of vijfvoudige van de productie van voor de Eerste Wereldoorlog. In 1913 maakten agrarische producten nog 70 procent uit van de wereldhandel, terwijl dat percentage nu nog hooguit 17 is. Aan het begin van de twintigste eeuw leverde de landbouw in de meeste ontwikkelde landen nog de grootste bijdrage aan het BNP. Inmiddels is die bijdrage in de rijke landen marginaal geworden. De agrarische bevolking omvat nog maar een heel klein deel van de totale bevolking.

Met de productiesector is het voor een groot deel dezelfde kant opgegaan. Sinds de Tweede Wereldoorlog is de omvang van de productie in de ontwikkelde wereld waarschijnlijk verdrievoudigd, maar als we rekening houden met de inflatie zijn de productieprijzen gestaag gedaald. Daar staat tegenover dat de voor inflatie gecorrigeerde kosten van de belangrijkste kennisproducten, zoals gezondheidszorg en scholing, verdrievoudigd zijn. Als we de relatieve koopkracht van productiegoederen vergelijken met die van kennisgoederen is die nog maar een vijfde of een zesde van vijftig jaar geleden. De werkgelegenheid in de productiesector is in de VS gedaald van 35 procent van de werkende bevolking in de jaren vijftig van de twintigste eeuw tot minder dan 17 procent nu. Toch heeft dat weinig sociale beroering veroorzaakt. Het zou echter wel eens te veel gevraagd kunnen zijn om ervan uit te gaan dat er in landen zoals Japan en Duitsland een even soepele overgang zal plaatsvinden. Daar maken fabrieksarbeiders nog steeds 25 tot 30 procent van de beroepsbevolking uit.

De afname van de agrarische sector als basis van welvaart en levensonderhoud heeft geleid tot een mate van protectionisme die vóór de Tweede Wereldoorlog ondenkbaar zou zijn geweest. Ik denk dat de neergang van de productie op soortgelijke wijze een snelle opbloei van protectionisme zal veroorzaken, ook al wordt vrijhandel nog steeds met de mond beleden. Dit protectionisme hoeft niet noodzakelijk de vorm aan te nemen van de traditionele tarieven, maar kan ook zijn intrede doen via subsidies, quota en allerhande regelingen. Nog waarschijnlijker is het dat er regionale samenwerkingsverbanden zullen ontstaan die intern vrijhandel kennen, maar naar buiten toe zeer protectionistisch zijn. De Europese Unie, de NAFTA en Mercosur wijzen al in die richting.

De toekomst van de grote onderneming

Statistisch gezien spelen multinationale bedrijven nog dezelfde rol in de wereldeconomie als in 1913, maar ze hebben een grondige gedaanteverwisseling ondergaan. In 1913 waren multinationals nationale bedrijven met vestigingen in het buitenland. Iedere vestiging was zelfstandig, bewoog zich binnen een politiek gedefinieerd gebied en was sterk autonoom. Multinationals neigen er tegenwoordig toe zich te organiseren overeenkomstig de producten of diensten die zij aanbieden. Net als de multinationals van 1913 worden ze bij elkaar gehouden en geleid door de eigendom. De multinationals van 2025 zullen waarschijnlijk bij elkaar gehouden en geleid worden door een strategie. Natuurlijk zullen de eigendomsverhoudingen nog belangrijk zijn, maar in toenemende mate zullen allianties, joint ventures, minderheidsaandeelhouders, know-howovereenkomsten en contracten de bouwstenen vormen van een soort confederatie. Zo'n soort organisatie heeft een nieuw soort topmanagement nodig.

In veel landen, en zelfs in veel grote en complexe bedrijven, wordt het topmanagement nog altijd beschouwd als een verlengstuk van het operationele management. Het topmanagement van de toekomst zal waarschijnlijk een orgaan worden dat zich op afstand van de rest van het bedrijf bevindt. Het zal het hele bedrijf vertegenwoordigen. Een van de belangrijkste taken voor het topmanagement van de grote bedrijven van de toekomst zal zijn om een evenwicht te zoeken in de onderling conflicterende eisen die aan het bedrijf worden gesteld. Zowel op de korte als op de lange termijn dienen resultaten te worden geboekt en ieder bedrijf kent verschillende belanghebbenden: klanten, aandeelhouders (institutionele beleggers en pensioenfondsen), kenniswerkers en gemeenschappen.

Tegen die achtergrond zal ik proberen twee vragen te beantwoorden. Wat kunnen en moeten managers nu doen om voorbereid te zijn op de nieuwe samenleving? En welke andere grote veranderingen waarvan we ons nu nog niet bewust zijn staan ons nog te wachten?

De nieuwe demografie

In 2030 zal in Duitsland, de derde economie van de wereld, bijna de helft van de volwassen bevolking bestaan uit mensen ouder dan 65 jaar. Nu is dat nog maar een vijfde. Als het geboortecijfer van Duitsland niet uitstijgt boven het huidige van 1,3 per vrouw, zal in diezelfde periode de bevolking jonger dan 35 ongeveer twee keer zo snel afnemen als de oudere bevolkingsgroep groeit. Het nettoresultaat is dat de totale bevolking afneemt met zo'n 10 miljoen. De omvang van de werkende bevolking zal met een kwart dalen, van 40 naar 30 miljoen.

De Duitse demografische cijfers zijn allesbehalve uitzonderlijk. In Japan, de tweede economie van de wereld, zal de bevolking in

2005 een piek bereiken van ongeveer 125 miljoen. Volgens meer pessimistische officiële voorspellingen zal tegen 2050 de bevolking afgenomen zijn tot ongeveer 95 miljoen. Maar al veel eerder, zo rond 2030, zal het aandeel van de mensen ouder dan 65 gegroeid zijn tot ongeveer de helft. En het geboortecijfer in Japan is net als in Duitsland gedaald naar 1,3 per vrouw.

Deze cijfers zijn vrijwel hetzelfde voor de meeste ontwikkelde landen – Italië, Frankrijk, Portugal, Nederland en Zweden – en voor veel ontwikkelingslanden, met name China. In sommige regio's, zoals midden-Italië of het zuiden van Frankrijk en Spanje, zijn de geboortecijfers zelfs nog lager dan in Duitsland of Japan.

De levensverwachting, en daarmee het aantal oudere mensen, is de afgelopen 300 jaar gestaag gestegen, maar de afname van het aantal jongeren is een nieuw verschijnsel. Het enige ontwikkelde land waaraan deze ontwikkeling tot nu toe voorbij is gegaan, is Amerika. Maar zelfs daar ligt het geboortecijfer ruim onder het vervangingsniveau, en het aandeel van ouderen in de volwassen bevolking zal de komende dertig jaar snel stijgen.

Daardoor zal het in alle ontwikkelde landen politiek gezien noodzakelijk worden de steun van de ouderen te verwerven. Pensioenen zijn nu al een weerkerend verkiezingsthema. Het debat over de wenselijkheid van immigratie om de omvang van de bevolking en het aantal werkenden op peil te houden, breidt zich uit. Samen zorgen deze twee kwesties voor een transformatie van het politieke landschap in ieder ontwikkeld land.

Uiterlijk in 2030 zal de leeftijd waarop men met pensioen kan gaan, gestegen zijn tot halverwege de zeventig. De uitkeringen aan gezonde gepensioneerden zullen substantieel lager liggen dan nu. De vaste pensioengerechtigde leeftijd van mensen die er fysiek en mentaal nog redelijk aan toe zijn, zal waarschijnlijk worden losgelaten, om te voorkomen dat de pensioenlasten die drukken op de werkende bevolking te groot worden. Nu al vrezen jongeren en mensen van middelbare leeftijd dat er niet genoeg pensioengelden zullen zijn als zij zelf de leeftijd bereiken waarop men van oudsher met pensioen gaat. Niettemin beweren politici nog altijd dat zij het huidige pensioensysteem kunnen redden.

Noodzakelijk maar ongewenst

Immigratie wordt zeker een nog belangrijker kwestie. Het gerespecteerde DIW-Onderzoeksinstituut in Berlijn schat dat Duitsland tegen 2020 1 miljoen migranten zal moeten binnenhalen om de beroepsbevolking op het huidige peil te kunnen handhaven. Met andere rijke Europese landen is het niet anders gesteld. In Japan wordt gesproken over de toelating van 500.000 Koreanen per jaar, om hen vijf jaar later weer terug te sturen. Behalve Amerika heeft geen enkel groot land ervaring met immigratie op een dergelijke schaal.

De politieke implicaties zijn nu al voelbaar. In 1999 waren Europeanen geschokt door het electorale succes in Oostenrijk van een xenofobe rechtse partij. De belangrijkste leuze was: geen immigratie. Soortgelijk bewegingen groeien in Vlaanderen, in het van oudsher liberale Denemarken en in het noorden van Italië. Zelfs in Amerika zorgt immigratie ervoor dat aloude politieke scheidslijnen verschuiven. De oppositie van de Amerikaanse vakbonden tegen grootschalige immigratie heeft ze in het anti-globaliseringskamp doen belanden. Vandaaruit werden heftige protesten georganiseerd tijdens de WTO-vergadering in Seattle in 1999. Een toekomstige democratische presidentskandidaat kan voor de volgende keuze komen te staan: of hij zoekt de steun van de vakbonden door zich tegen immigratie te keren, of hij zoekt de stem van Latijns-Amerikaanse immigranten door immigratie te steunen. Op dezelfde manier kan een republikeinse kandidaat in de toekomst wellicht kiezen tussen de steun van het bedrijfsleven dat roept om werknemers en de steun van de blanke middenklasse die zich in toenemende mate tegen immigratie keert. Hoe dan ook, de Amerikaanse ervaring met immigratie zou de VS de komende tientallen jaren een voorsprong moeten geven in de ontwikkelde wereld. Sinds de jaren zeventig zijn er grote aantallen al dan niet legale immigranten het land binnengekomen. De meeste immigranten zijn jong en de geboortecijfers van de eerste generatie immigrantenvrouwen zijn doorgaans hoger dan die in het land dat hen heeft opgenomen. Dit impliceert dat de komende dertig of veertig jaar de Amerikaanse bevolking zal blijven groeien, zij het langzaam, terwijl die in sommige andere ontwikkelde landen zal dalen.

Een land van immigranten

De VS zal niet alleen dankzij bovenstaande aantallen in het voordeel zijn. Belangrijker is dat het land in cultureel opzicht is ingesteld op immigranten en al lang geleden geleerd heeft hen te integreren in de maatschappij en economie. Het zou zelfs wel eens zo kunnen zijn dat de huidige generatie immigranten, of dat nu Spaanstaligen zijn of Aziaten, sneller dan ooit integreert. Eenderde van alle Spaanstalige immigranten blijkt bijvoorbeeld te trouwen met mensen die geen Spaans spreken en geen immigrant zijn. Het enige grote obstakel voor de volledige integratie van deze immigranten wordt gevormd door de slechte resultaten van de Amerikaanse openbare lagere scholen.

Van alle ontwikkelde landen hebben alleen Australië en Canada een immigratietraditie die vergelijkbaar is met de Amerikaanse. Japan heeft resoluut alle buitenlanders geweerd, met uitzondering van een golf Koreaanse immigranten in de jaren twintig en dertig. De nakomelingen daarvan worden nog steeds gediscrimineerd. De massale migratiestromen van de negentiende eeuw hadden lege gebieden in de VS, Canada, Australië en Brazilië ten doel of betroffen de trek van het platteland naar de stad binnen hetzelfde land. De immigratie in de eenentwintigste eeuw zal bestaan uit vreemdelingen – qua nationaliteit, taal, cultuur en godsdienst – die zich bewegen naar bestaande landen. De Europese landen zijn tot nu toe veel minder succesvol geweest met de integratie van deze vreemdelingen.

Het belangrijkste gevolg van deze demografische veranderingen zou kunnen zijn dat tot nu toe homogene maatschappijen en markten worden opgesplitst. Tot in de jaren twintig en dertig beschikte ieder land over een diversiteit aan culturen en markten. Die waren onderling scherp gedifferentieerd naar klasse, beroep en woonplaats. Voorbeelden zijn de agrarische markt en de autohandel, die beide verdwenen tussen 1920 en 1940. Toch hebben sinds de Tweede Wereldoorlog alle ontwikkelde landen maar één massacultuur en één consumentenmarkt gekend. Nu de demografische krachten in alle ontwikkelde landen naar verschillende kanten trekken, is het de vraag of die homogeniteit zal blijven bestaan.

De markten van de ontwikkelde wereld werden gedomineerd door de waarden, gewoonten en voorkeuren van de jongere bevolking. Sommige van de meest succesvolle en meest winstgevende ondernemingen van de afgelopen halve eeuw, zoals Coca-Cola en Procter & Gamble in Amerika, Unilever in Groot-Brittanië en Henckel in Duitsland, danken hun voorspoed grotendeels aan de groei van de jongerenbevolking en de gezinsvorming op betrekkelijk jonge leeftijd tussen 1950 en 2000. Hetzelfde geldt voor de auto-industrie in diezelfde periode.

Het einde van de ene markt

Er zijn tekenen die erop wijzen dat de markt scheuren vertoont. De afgelopen vijfentwintig jaar was de financiële dienstensector misschien wel de snelst groeiende bedrijfstak van Amerika en daar heeft de scheuring zich al voorgedaan. De zeepbelmarkt van de jaren negentig, met zijn hectische daghandel in hightech-aandelen, was grotendeels in handen van mensen jonger dan vijfenveertig. De klanten op de markt voor investeringen als beleggingsfondsen en lijfrentes zijn meestal ouder dan vijftig en die markt heeft zich ook snel ontwikkeld. De snelst groeiende bedrijfstak in alle ontwikkelde landen zou wel eens de permanente educatie van geschoolde volwassenen kunnen zijn. Die is gebaseerd op waarden die allesbehalve onverenigbaar zijn met die van de jeugdcultuur.

Het is ook denkbaar dat enkele jongerenmarkten buitengewoon lucratief zullen worden. In de Chinese kuststeden, waar de regering erin slaagde haar één-kindpolitiek erdoor te drukken, schijnen gezinnen in de middenklasse nu aan hun ene kind meer geld uit te geven dan vroeger aan vier of vijf kinderen. Dit lijkt ook voor Japan op te gaan. Veel Amerikaanse middenklassegezinnen besteden veel geld aan het onderwijs van hun enige kind, vooral door te verhuizen naar dure buurten buiten het centrum waar goede scholen zijn. Deze nieuwe, luxueuze jongerenmarkt verschilt echter veel van de homogene massamarkt van de afgelopen vijftig jaar. Die markt neemt snel af vanwege het slinkende aantal jonge mensen dat volwassen wordt.

In de toekomst zullen er vrijwel zeker twee soorten werknemers zijn: de werknemers jonger dan vijftig en de ouderen. Deze twee groepen verschillen waarschijnlijk aanmerkelijk in hun behoeften, hun gedrag en de banen die ze hebben. De jongerengroep zal behoefte hebben aan een vast inkomen uit een vaste baan of tenminste een opeenvolging van voltijdse banen. De snel groeiende ouderengroep zal veel meer keuzemogelijkheden hebben en in staat zijn om traditionele banen, ongebruikelijke banen en vrije tijd te combineren op de manier die haar het beste uitkomt. Deze splitsing in de werkende bevolking zal waarschijnlijk beginnen bij hoog opgeleide vrouwelijke technologen. Een verpleegster, een computertechnoloog en een juridisch adviseur kunnen er vijftien jaar tussenuit gaan om voor de kinderen te zorgen, om vervolgens weer voltijds te gaan werken. De vrouwen die momenteel het hoger onderwijs in Amerika domineren, zoeken in toenemende mate een baan in de nieuwe kennistechnologie. Voor het eerst in de geschiedenis van de mensheid zijn deze banen aangepast aan de speciale behoeften van vrouwen met kinderen en aan het feit dat ze steeds langer leven. Dat is een van de oorzaken van de splitsing in de banenmarkt. Een werkzaam leven van vijftig jaar is eenvoudig te lang voor één soort werk.

De tweede reden voor de splitsing is een afnemende levensverwachting voor bedrijven en organisaties. In het verleden bestonden organisaties met personeel veel langer dan de werknemers. In de toekomst zullen werknemers en vooral kenniswerkers steeds vaker ook de succesvolle organisaties overleven. Weinig bedrijven of overheidsinstellingen functioneren langer dan dertig jaar. Historisch gezien omvat het werkzame leven van de meeste werknemers minder dan dertig jaar, aangezien de meesten eenvoudig eerder versleten waren. Maar kenniswerkers die zich als twintiger op de arbeidsmarkt melden, zijn waarschijnlijk vijftig jaar later nog in een goede fysieke en mentale conditie.

De *tweede loopbaan* en *de tweede helft van je leven* zijn in Amerika al clichés geworden. Mensen van wie het pensioen en de sociale zekerheidsrechten gegarandeerd zijn tot de tijd dat ze de traditionele pensioengerechtigde leeftijd bereiken, gaan steeds vaker vervroegd met pensioen. Maar ze stoppen niet met werken; hun tweede loopbaan heeft vaak een onconventionele vorm. Ze werken bijvoorbeeld freelance (en vaak vergeten ze dan aan de belastinginspecteur hun inkomsten op te geven), parttime, als uitzendkracht of voor een detacheerder. Sommigen vestigen zich ook als zelfstandige. Een dergelijke vroege pensionering om aan het werk te blijven komt vooral veel voor onder kenniswerkers die nu nog een minderheid vormen. Het betreft vooral vijftigers, de groep die in 2030 in Amerika de grootste groep ouderen zal vormen.

Opgepast met demografische veranderingen

Voor de komende decennia kunnen er betrouwbare voorspellingen over de bevolking worden gedaan, aangezien bijna iedereen die in 2020 zal werken nu al leeft. Maar zoals de Amerikaanse ervaring van de afgelopen tientallen jaren laat zien, kunnen demografische trends heel plotseling en onvoorspelbaar veranderen, met tamelijk abrupte gevolgen. De Amerikaanse *baby boom* aan het eind van de jaren veertig stond bijvoorbeeld aan de wieg van de woning-*boom* aan het eind van de jaren vijftig. De eerste keer dat Amerika een snelle daling van het geboortecijfer meemaakte was in het midden van de jaren twintig. Tussen 1925 en 1935 daalde het met ongeveer de helft tot onder het vervangingsgetal van 2,2 levendgeborenen per vrouw. In de late jaren dertig voorspelde een door president Roosevelt ingestelde commissie nog vol vertrouwen dat de Amerikaanse bevolking in 1945 een piek zou bereiken, om daarna te gaan afnemen, maar een explosief stijgend geboortecijfer in de late jaren veertig gooide roet in het eten. Binnen tien jaar verdubbelde het aantal levendgeborenen per vrouw van 1,8 naar 3,6. Tussen 1947 en

1957 onderging Amerika een *baby boom.* Het aantal baby's dat geboren werd steeg van 2,5 miljoen naar 4,1 miljoen.

In 1960/61 gebeurde het tegenovergestelde. In plaats van een verwachte tweede *baby boom*, ten gevolge van de eerste golf babyboomers die volwassen werd, vond er een snelle neergang plaats. Tussen 1961 en 1975 daalde het geboortecijfer van 3,7 naar 1,8. Het aantal baby's dat werd geboren daalde van 4,3 miljoen in 1963 naar 3,1 miljoen in 1975. De volgende verrassing was de echo van de *baby boom* in de late jaren tachtig en de vroege jaren negentig. Het aantal levendgeborenen ging scherp omhoog en overtrof zelfs het cijfer uit de topjaren van de eerste *baby boom.* Achteraf gezien is wel duidelijk dat deze echo veroorzaakt werd door grootschalige immigratie in Amerika aan het begin van de jaren zeventig. Toen de dochters die deze vroege immigranten hadden gekregen, eind jaren tachtig zelf kinderen begonnen te krijgen, lag het aantal kinderen nog dichter bij die van hun eigen geboorteland dan bij die van hun nieuwe vaderland. In het eerste decennium van deze eeuw was van een vijfde van alle schoolkinderen in Californië minstens één ouder elders geboren.

Maar niemand weet wat de oorzaak is geweest van die twee snelle dalingen in de geboorten of van de babyboom van de jaren veertig. Beide dalingen deden zich voor toen het economisch gezien goed ging en dat zou in theorie mensen hebben moeten aanmoedigen om veel kinderen te krijgen. En de babyboom had zelfs nooit moeten plaatsvinden aangezien na een grote oorlog de geboortecijfers altijd omlaag gaan. De waarheid is dat we gewoonweg niet weten waardoor de geboortecijfers in moderne samenlevingen bepaald worden. Vandaar dat demografische factoren zeer belangrijk zullen zijn in de nieuwe samenleving; zij zullen bovendien het minst voorspelbaar en het minst te beheersen zijn.

De nieuwe arbeidsmarkt

Een eeuw geleden verrichtte de overgrote meerderheid van de mensen in ontwikkelde landen handwerk. Op boerderijen, in de huishouding, als ambachtsman en in fabrieken, maar dat was toen nog een kleine minderheid. Vijftig jaar later was het aandeel van het handwerk op de Amerikaanse arbeidsmarkt gehalveerd, terwijl fabrieksarbeiders het grootste contingent op de arbeidsmarkt waren geworden. Ze maakten er 35 procent van uit. Nu, weer vijftig jaar later, verricht minder dan een kwart van de Amerikaanse werknemers nog handwerk. Van deze groep maken de fabrieksarbeiders nog de meerderheid uit, maar hun aandeel in de totale werkgelegenheid is gedaald tot ongeveer 15 procent, ongeveer hetzelfde percentage als honderd jaar geleden.

Amerika heeft van alle ontwikkelde landen naar verhouding de minste fabrieksarbeiders. Groot-Brittannië zit daar iets boven. In Japan en Duitsland is hun aandeel nog een kwart, maar dat gaat gestaag omlaag. Tot op zekere hoogte is dit een kwestie van definitie. Werknemers die zich in een industriële omgeving bezighouden met dataprocessing, zoals bij Ford, worden gerekend tot de industriearbeiders. Besteedt Ford zijn dataprocessing echter uit, dan worden diezelfde werknemers opeens tot de dienstensector gerekend. Maar hierover moeten we ons niet al te druk maken. Diverse studies over de industriële bedrijvigheid hebben laten zien dat de afname van het aantal mensen dat feitelijk werkt in een fabriek ruwweg overeenkomt met de afname die valt af te lezen van de landelijke cijfers.

Vóór de Eerste Wereldoorlog bestond er niet eens een woord voor mensen die anders dan door handwerk in hun levensonderhoud voorzagen. Het begrip dienstverlener stamt uit 1920, maar dat begrip bleek nogal misleidend te zijn. Tegenwoordig is minder dan de helft van alle niet-handwerkers actief in de dienstverlening. De enige snel groeiende groep op de arbeidsmarkt, zowel in Amerika als in andere ontwikkelde landen, is die van de kenniswerkers. Dat zijn mensen met banen waarvoor een formele, voortgezette scholing nodig is. Daartoe wordt nu al een derde van de Amerikaanse werknemers gerekend. Het aantal kenniswerkers bedraagt al het dubbele van het aantal fabrieksarbeiders. Over nog eens twintig jaar maken zij waarschijnlijk twee vijfde uit van de werknemers van alle rijke landen.

Begrippen als kennisindustrie, kenniswerk en kenniswerker zijn pas veertig jaar oud. Ze werden rond 1960 tegelijkertijd bedacht, maar onafhankelijk van elkaar. De eerste door een econoom van Princeton, Fritz Machlup, de tweede en de derde door de auteur. Nu gebruikt iedereen deze begrippen, maar tot op heden is er nauwelijks iemand die begrijpt wat de implicaties zijn voor menselijke normen en waarden en menselijk gedrag, voor het managen en tot productiviteit aanzetten van mensen, voor de economie en de politiek. Wat echter al wel duidelijk is, is dat de opkomende kennissamenleving en kenniseconomie radicaal zullen verschillen van de samenleving en de economie uit de late twintigste eeuw, en wel op de volgende manieren.

Allereerst zijn de kenniswerkers als collectief de nieuwe kapitalisten. Kennis is de belangrijkste troef geworden, en de enige die schaars is. Dit betekent dat kenniswerkers als collectief de productiemiddelen in handen hebben, maar als groep zijn zij ook kapitalisten in de oude zin van het woord. Vanwege hun aandelen in pensioen- en beleggingsmaatschappijen hebben ze zich ontwikkeld tot meerderheidsaandeelhouders en eigenaren van tal van grote bedrijven in de kennissamenleving.

Effectieve kennis is gespecialiseerde kennis. Dat betekent dat kenniswerkers toegang moeten hebben tot een organisatie, een collectief dat een breed scala aan kenniswerkers bij elkaar brengt en hun specialismen inzet voor een gemeenschappelijk eindproduct. De meest begaafde wiskundeleraar op een middelbare school is alleen effectief als lid van een sectie. De meest briljante adviseur op het gebied van productontwikkeling is alleen effectief wanneer een goed georganiseerd en competent bedrijf het advies vertaalt in acties. De meest fantastische software-ontwikkelaar heeft een producent van hardware nodig. Andersom heeft de *high school* de wiskundeleraar nodig, heeft het bedrijf de expert op het gebied van productontwikkeling nodig en de fabrikant van pc's de programmeur. Kenniswerkers zien zichzelf daarom als gelijkwaardig aan degenen die hun diensten afnemen. Ze beschouwen zichzelf eerder als specialisten dan als werknemers. De kennissamenleving is eerder een samenleving van ouderen en jongeren dan van bazen en ondergeschikten.

Man en vrouw

Dit heeft belangrijke consequenties voor de rol van vrouwen op de arbeidsmarkt. Historisch gezien is de arbeidsparticipatie van vrouwen altijd ongeveer gelijk geweest aan die van mannen. De dame die met niets om handen in haar salon zat, was zelfs in de welvarende negentiende-eeuwse samenleving een grote uitzondering. Een boerderij, de werkplaats van een handwerksman, een kleine winkel, allemaal hadden ze een echtpaar nodig om levensvatbaar te zijn. Nog aan het begin van de twintigste eeuw kon een arts pas een praktijk beginnen wanneer hij getrouwd was. Hij had een vrouw nodig om afspraken te maken, de deur te openen, de verhalen van patiënten aan te horen en de rekeningen te versturen.

Hoewel vrouwen altijd gewerkt hebben, hebben zij steeds ander werk gedaan dan mannen. Je had mannenwerk en vrouwenwerk. In de bijbel zijn het altijd de vrouwen die naar de bron gaan om water te halen, nooit de mannen. Er heeft ook nooit een 'oude vrijer' bestaan.

Kenniswerk is mannelijk noch vrouwelijk. Niet vanwege druk uit feministische hoek, maar omdat het door beide seksen even goed gedaan kan worden. Toch waren de eerste moderne kennisjobs maar voor één van beide seksen bedoeld. Lesgeven als beroep werd uitgevonden in 1794, het jaar waarin in Parijs de École Normale werd opgericht. Doceren was aan mannen voorbehouden. Tijdens de Krimoorlog, zestig jaar later, werd door Florence Nightingale het tweede nieuwe kennisberoep uitgevonden: verplegen. Dit werd beschouwd als een exclusief vrouwelijke taak. Tegen 1850 werd al overal door mannen en vrouwen lesgegeven, en in 2000 maken mannen twee vijfde van de studenten uit op Amerikaanse verpleegopleidingen.

Tot 1890 kende Europa geen vrouwelijke artsen. Maar een van de eerste Europese vrouwen die als arts promoveerde, de grote Italiaanse pedagoge Maria Montessori, moet hebben gezegd: 'Ik ben geen vrouwelijke arts, ik ben een arts die toevallig een vrouw is.'

Dezelfde logica is van toepassing op kenniswerk. Kenniswerkers zijn ongeacht hun sekse specialisten. Ze passen dezelfde kennis toe, doen hetzelfde werk dat aan dezelfde maatstaven moet voldoen en ze worden beoordeeld naar dezelfde resultaten. Hooggeschoolde specialisten als artsen, advocaten, wetenschappelijke onderzoekers, geestelijken en leraren zijn er al heel lang, hoewel hun aantal pas de afgelopen honderd jaar exponentieel is toegenomen. De grootste groep kenniswerkers bestaat echter pas vanaf het begin van de twintigste eeuw en begon pas na de Tweede Wereldoorlog echt mee te tellen. Ik bedoel de technologen: mensen die veel van hun werk met hun handen doen (en in dat opzicht zijn zij de opvolgers van de geschoolde arbeiders) maar van wie het salaris bepaald wordt door de kennis die ze hebben verworven dankzij formele scholing en niet door bij iemand in de leer te gaan. Daaronder vallen röntgenologen, fysiotherapeuten, geluidstechnici, psychiatrische verpleegkundigen, tandtechnici en nog heel veel anderen. De afgelopen dertig jaar is de medisch-technische sector het snelst groeiende segment op de Amerikaanse arbeidsmarkt geweest, en waarschijnlijk was hetzelfde het geval in Groot-Brittannië.

De volgende twintig of dertig jaar zal het aantal kennistechnologen op het gebied van computers, fabricage en scholing waarschijnlijk nog sneller groeien. Ook groepen als juridische medewerkers nemen snel in omvang toe. En het is niet toevallig dat de secretaresse van gisteren snel verandert in een assistente; ze wordt de manager van het kantoor en van het werk van de baas. Binnen twintig of dertig jaar zullen kennistechnologen de dominante groep worden binnen de werkende bevolking van de ontwikkelde landen. Ze nemen daarmee dezelfde positie in die georganiseerde fabrieksarbeiders innamen op het hoogtepunt van hun macht in de jaren vijftig en zestig.

Het belangrijkste kenmerk van deze kenniswerkers is dat ze zichzelf niet zien als arbeiders maar als specialisten. Veel van hen zijn een aanzienlijk deel van hun tijd bezig met ongeschoold werk zoals het rechttrekken van de lakens bij patiënten of het beantwoorden of doorverbinden van de telefoon. Wat hen echter zowel in hun eigen ogen als voor het grote publiek tot een aparte groep maakt, is het deel van hun werk waarin zij hun theoretische kennis benutten. Dat maakt dat zij helemaal tot de kenniswerkers behoren.

Deze werkers hebben in hoofdzaak twee dingen nodig: een formele opleiding die hen in staat stelt om aan de slag te gaan en bijscholing om hun kennis up-to-date te houden. Voor traditionele hooggeschoolde specialisten als artsen, geestelijken en advocaten is formele scholing al vele eeuwen beschikbaar, voor kennistechnologen hebben tot nu toe niet meer dan een paar landen systematische scholing georganiseerd. De komende tientallen jaren zullen instellingen die technologen opleiden zich in alle ontwikkelde en opkomende landen snel ontwikkelen. In het verleden zijn nieuwe instellingen altijd ontstaan wanneer aan nieuwe eisen moest worden voldaan. Wat deze keer anders is, is de behoefte aan permanente educatie van reeds goed getrainde en hoog opgeleide volwassenen. Van oudsher hield het onderwijs op als het werk begon. In de kennissamenleving stopt de scholing nooit.

Kennis verschilt daarin van traditionele vaardigheden die slechts zeer langzaam veranderen. Vlak bij Barcelona bevindt zich een museum dat veel handgereedschap bezit, dat gebruikt werd door geschoolde vaklui uit het laat-Romeinse Rijk. Iedere vakman van nu zou die onmiddellijk herkennen, omdat ze heel erg lijken op de gereedschappen die we nog altijd gebruiken. Men mocht ervan uitgaan dat de vaardigheden die men zich op zeventien- of achttienjarige eigen maakte, toereikend zouden zijn voor de rest van het leven.

Kennis daarentegen veroudert snel en kenniswerkers moeten regelmatig terug naar school. Voortgezette scholing van reeds hooggeschoolde volwassenen zal daarom een groei-industrie worden in de nieuwe samenleving. Het merendeel daarvan zal aangeboden worden op een niet-traditionele manier. Dat kan variëren van weekend-seminars tot online-oefenprogramma's en kan zich op diverse plaatsen afspelen. Aan een traditionele universiteit, maar ook in de woning van de student. De Informatierevolutie, waarvan verwacht wordt dat zij een enorme invloed zal hebben op de opvoeding en op traditionele scholen en universiteiten, zal waarschijnlijk een nog groter effect hebben op de blijvende scholing van kenniswerkers.

Kenniswerkers neigen ertoe zich te identificeren met hun kennis.

Als ze zich voorstellen zeggen ze: 'Ik ben antropoloog' of: 'Ik ben fysiotherapeut'. Soms zijn ze trots op de organisatie waarvoor ze werken, of dat nu een bedrijf is, een universiteit of een overheidsinstelling. Ze werken echter bij de organisatie; ze maken er geen deel van uit. De meesten vinden waarschijnlijk dat ze meer gemeen hebben met iemand die hetzelfde beroep uitoefent bij een andere instelling dan met de collega's op het eigen instituut die werkzaam zijn op een ander kennisgebied.

De opkomst van kennis als een belangrijke vorm van kapitaal houdt in toenemende mate specialisatie in, maar kenniswerkers zijn binnen hun specialisme heel mobiel. Ze verhuizen probleemloos van de ene universiteit naar de andere en van het ene land naar een ander, zolang ze maar binnen hetzelfde kennisgebied blijven. Er wordt veel gesproken over de afgenomen loyaliteit van kenniswerkers aan de organisatie die hun werk verschaft, maar dat zal niet veel helpen. Kenniswerkers kunnen verbonden zijn aan een organisatie en zich daar prettig voelen, maar hun primaire loyaliteit ligt waarschijnlijk toch bij een gespecialiseerd kennisgebied.

Kennis is niet hiërarchisch. Zij is relevant voor een bepaalde situatie of ze is dat niet. Een openhartchirurg wordt misschien veel beter betaald dan een spraaktherapeut en zal een veel hogere sociale status hebben, maar als iemand bijvoorbeeld een hartaanval heeft gehad, is de kennis van de spraaktherapeut veel nuttiger dan die van de chirurg. Dat is de reden dat allerhande kenniswerkers zichzelf niet zien als ondergeschikten, maar als specialisten, en ze verwachten ook als zodanig behandeld te worden.

Geld is voor kenniswerkers net zo belangrijk als voor iedereen. Zij beschouwen het echter niet als de ultieme maatlat en ze zien geld niet als een substituut voor professionele prestaties. Dat vormt een scherp contrast met de vroegere arbeiders, voor wie een baan allereerst in het levensonderhoud diende te voorzien. De meeste kenniswerkers beschouwen hun baan als hun leven.

Steeds hoger

De kennissamenleving is de eerste samenleving waar de opwaartse mobiliteit in principe onbeperkt is. Kennis verschilt van andere productiemiddelen doordat ze geërfd noch nagelaten kan worden. Ieder individu moet het zich opnieuw eigen maken en iedereen begint vanaf het nulpunt.

Kennis moet in een vorm gegoten worden, zodat ze kan worden onderwezen. Zo wordt ze ook openbaar gemaakt. Ze is algemeen toegankelijk of wordt dat snel. Dit draagt er allemaal toe bij dat de kennissamenleving een hoge mobiliteit kent. Iedereen kan op school alle kennis verwerven dankzij een vastgelegd leerproces. Het is niet meer nodig bij een meester in de leer te gaan. Tot 1850, en misschien wel tot 1900, kenden maatschappijen weinig mobiliteit. Het Indiase kastensysteem, waarin de geboorte niet alleen bepalend is voor iemands status in de maatschappij maar ook voor zijn beroep, was een extreem geval. In de meeste samenlevingen was het zo dat als de vader boer was, de zoon ook boer werd en de dochters met boeren trouwden. Mobiliteit was vooral neerwaartse mobiliteit. Die werd veroorzaakt door oorlogen, ziekte, pech of slechte gewoonten zoals drinken en gokken.

Zelfs in Amerika, het land van de onbegrensde mogelijkheden, bestond veel minder opwaartse mobiliteit dan algemeen wordt aangenomen. De overgrote meerderheid van specialisten en managers in het Amerika van de eerste helft van de twintigste eeuw was nog altijd een kind van specialisten en managers en niet van boeren, kleine winkeliers of fabrieksarbeiders. Wat Amerika onderscheidde was niet de omvang van de opwaartse mobiliteit, maar de manier waarop die werd verwelkomd, aangemoedigd en hooggehouden. Dit vormde een scherp contrast met de situatie in de meeste Europese landen.

De kennismaatschappij gaat met haar goedkeuring van opwaartse mobiliteit nog veel verder. Ze beschouwt iedere belemmering van mobiliteit als een vorm van discriminatie. Dit betekent dat nu van iedereen verwacht wordt dat hij succes heeft. Dat idee zou voor eerdere generaties belachelijk zijn geweest. Het spreekt vanzelf dat slechts een klein aantal mensen grote successen kan boeken. Van een zeer groot aantal wordt niettemin verwacht dat ze behoorlijk succesvol zijn.

In 1958 schreef John Kenneth Galbraith voor de eerste keer over de welvaartsmaatschappij. Daarmee doelde hij niet op een samenleving met veel meer rijke mensen of een samenleving waarin de rijken nog rijker waren, maar op een samenleving waarin de meerderheid zich financieel veilig kon voelen. In de kennissamenleving heeft een groot aantal mensen, en misschien wel de meerderheid, iets wat nog belangrijker is dan financiële veiligheid: sociale status of sociale welvaart.

De prijs van het succes

Voor de opwaartse mobiliteit van de kennissamenleving moet echter een hoge prijs betaald worden. De felle concurrentie brengt psychologische druk en emotionele trauma's met zich mee. Er kunnen alleen winnaars zijn als er ook verliezers zijn. Vroeger was dat niet het geval. De zoon van een landloze arbeider die zelf zonder land eindigde, was niet mislukt. In de kennissamenleving is hij niet alleen persoonlijk maar ook maatschappelijk mislukt.

Japanse kinderen lijden aan slaapstoornissen omdat ze 's avonds zitten te stampen voor hun examens. Doen ze dat niet, dan kunnen ze niet naar de prestigieuze universiteit van hun keuze om zo een goede baan te verwerven. Een dergelijke druk creëert een vijandige houding tegenover leren. Zo dreigt de veelgeprezen Japanse economische gelijkheid ondermijnd te worden. Het land dreigt tot een plutocratie te worden. Alleen rijke ouders kunnen zich de enorme bedragen veroorloven die nodig zijn om kinderen klaar te stomen voor de universiteit.

Ook andere landen zoals Amerika, Groot-Brittannië en Frankrijk accepteren dat het competitie-element op hun scholen sterker wordt. Dat dit in zo'n korte tijd is gebeurd, in nog geen dertig of veertig jaar, geeft al aan hoezeer de angst om te mislukken zich door heel de kennissamenleving heeft verspreid.

Mede door deze concurrentieslag bereikt een groot aantal zeer succesvolle kenniswerkers van beide seksen – bedrijfsmanagers, universiteitsdocenten, museumdirecteuren, artsen – zijn top al voor zijn vijftigste. Ze weten dat ze alles wat ze zouden kunnen bereiken al bereikt hebben. Als ze buiten hun werk niets hebben, hebben ze een probleem. Daarom dienen kenniswerkers liefst al in hun jonge jaren ook een non-competitief bestaan te ontwikkelen. En liefst ook een serieuze interesse buiten hun werkkring. Ze zouden als vrijwilliger kunnen werken, in een plaatselijk orkest spelen of actief worden in het bestuur van een kleine stad. Een dergelijke interesse zal hen in staat stellen om een bijdrage te leveren en iets te bereiken op een geheel ander terrein.

De paradox van de industrie

Tegen het eind van de twintigste eeuw daalde de prijs van het meest gebruikte product van de staalindustrie – het staal waarvan auto's worden gemaakt – van 460 naar 260 dollar per ton. Toch ging het toen in Amerika heel goed, en het grootste deel van het Europese continent kende welvaart. Bij de autoproductie werden records gebroken. De gebeurtenissen in de staalindustrie zijn typerend voor de industrie in haar geheel. Tussen 1960 en 1999 halveerde het aandeel van de industrie in het Amerikaanse BNP en haar aandeel in de totale werkgelegenheid tot ongeveer 15 procent. In dezelfde 40 jaar verdubbelde tot verdrievoudigde de industriële productie. In 1960 was de industrie nog de belangrijkste sector in de economieën van de VS en andere ontwikkelde landen. In 2000 lag het aandeel van de industrie in het BNP al ruimschoots onder dat van de financiële sector.

De relatieve koopkracht van de industriële productie (wat economen de handelscondities noemen) is in de afgelopen veertig jaar met drie vierde gedaald. Terwijl de industriële prijzen, voor inflatie gecorrigeerd, met 40 procent daalden, zijn de prijzen van de twee belangrijkste kennisproducten, gezondheidszorg en onderwijs, ongeveer drie keer zo snel gestegen als de inflatie. Vandaar dat in

2000 naar verhouding vijf keer zoveel industriële goederen nodig waren als veertig jaar eerder om de belangrijkste kennisproducten te kopen.

De koopkracht van industrie-arbeiders is ook gedaald, hoewel veel minder dan die van hun producten. Hun productiviteit is zo scherp gestegen dat hun reële inkomen vrijwel constant is gebleven. Rond 1960 namen de arbeidskosten in de industrie ongeveer 30 procent van de totale industriële kosten voor hun rekening; nu zijn die kosten gedaald tot 12 à 15 procent. Zelfs in de meest geavanceerde fabrieken in de autoindustrie – nog steeds de meest arbeidsintensieve van allemaal – zijn de arbeidskosten niet hoger dan 20 procent. Arbeiders, en zeker de Amerikaanse, vormen niet langer de ruggengraat van de consumentenmarkt. Op het hoogtepunt van de crisis in de Amerikaanse *rust belt*, toen de werkgelegenheid in de grote industriële centra drastisch werd verminderd, veranderde de landelijke verkoop van consumptiegoederen nauwelijks.

Nieuwe concepten hebben veel invloed gehad op de industrie. Daardoor is de productiviteit sterk gestegen. Informatie en automatisering zijn minder belangrijk dan nieuwe productietheorieën. Die betekenen een vooruitgang, vergelijkbaar met de komst van de massaproductie tachtig jaar geleden. Enkele van deze theorieën, zoals die van Toyota over de 'arme productie', zien helemaal af van robots, computers en automatisering. Een van de meest geciteerde voorbeelden betreft de vervanging van een van de geautomatiseerde en gecomputeriseerde verfdroogstraten van Toyota door een half dozijn haardrogers uit de supermarkt.

De industrie volgt dezelfde weg die de agrarische sector eerder bewandelde. Vanaf 1920 is de agrarische productie in alle ontwikkelde landen omhooggeschoten. Een nieuwe versnelling trad op na de Tweede Wereldoorlog. Vóór de Eerste Wereldoorlog moesten veel West-Europese landen agrarische producten importeren, nu importeert alleen Japan nog agrarische producten. Alle Europese landen hebben nu grote en steeds moeilijker te verkopen landbouwoverschotten. Met uitzondering van Japan is de landbouwproductie in de meeste ontwikkelde landen tegenwoordig zeker het viervoudige van wat die was in 1920 en het drievoudige van de productie in 1950. Maar terwijl aan het begin van de twintigste eeuw in de meeste ontwikkelde landen de boeren nog de meerderheid vormden van de werkende bevolking, is hun aandeel nu niet eens meer 3 procent. En terwijl aan het begin van de twintigste eeuw de agrarische sector in de meeste ontwikkelde landen de grootste bijdrage leverde aan het nationale inkomen, droeg de sector in 2000 nog maar 2 procent bij aan het Amerikaanse BNP.

De industrie zal er waarschijnlijk niet in slagen haar productie net zo sterk uit te breiden als de agrarische sector heeft gedaan; die zal als producent van welvaart en werkgelegenheid waarschijnlijk evenmin in dezelfde mate afnemen. Maar de meest betrouwbare voorspelling voor 2020 geeft aan dat de industriële productie minstens zal verdubbelen, terwijl de werkgelegenheid in de industrie zal afnemen tot zo'n 10 procent van de totale werkgelegenheid.

In Amerika is deze overgang tot stand gebracht met een minimum aan moeilijkheden. De enige groep die hard getroffen werd, was die van de zwarte Amerikanen. De groei van de werkgelegenheid in de industrie na de Tweede Wereldoorlog bood hun kans op snelle economische vooruitgang. Nu zijn hun banen snel in aantal afgenomen. Maar over het algemeen is de werkloosheid, zelfs in gebieden die zwaar leunden op een paar grote industriële bedrijven, slechts korte tijd hoog gebleven. Politieke beroering heeft het in Amerika nauwelijks gewekt.

De vraag is of de overgang in andere industrielanden even soepel zal verlopen. In Groot-Brittannië is de werkgelegenheid in de industrie al scherp gedaald zonder dat er enige onrust ontstond, alhoewel er zeker sociale en psychologische problemen zijn ontstaan. Maar wat zal er gebeuren in landen als Duitsland of Frankrijk? Daar zijn de arbeidsmarkten nog steeds rigide en was tot voor kort nauwelijks sprake van opwaartse mobiliteit via het onderwijs. Deze landen hebben te lijden van een substantiële en naar het lijkt hardnekkige werkloosheid. Neem nu het Duitse Ruhrgebied en het oude Franse industriegebied rond Lille. Mogelijk staat die gebieden een pijnlijke overgangsperiode met ernstige sociale onrust te wachten.

Het grootste vraagteken betreft echter Japan. Natuurlijk, de cultuur van de arbeidersklasse is er onbekend en lange tijd heeft men in scholing een instrument voor opwaartse mobiliteit gezien. De Japanse sociale stabiliteit is echter, zeker voor arbeiders in de grote industrieën, gebaseerd op baangaranties, maar daarin komt nu snel de klad. Toch was Japan vóór 1950, toen de baangaranties voor arbeiders werden geïntroduceerd, een land van buitensporige arbeidsonrust. Het aandeel van de industrie in de totale werkgelegenheid is er nog altijd hoger dan in de meeste andere ontwikkelde landen – ongeveer een kwart van het totaal – en Japan kent vrijwel geen arbeidsmarkt en weinig arbeidsmobiliteit.

In psychologisch opzicht is het land nauwelijks voorbereid op de neergang van de industrie. Het heeft zijn opkomst als economische supermacht in de tweede helft van de twintigste eeuw te danken aan het feit dat het de meest fabelachtige fabrikant ter wereld werd. Men moet de Japanners nooit onderschatten. Hun geschiedenis toont aan dat ze een ongeëvenaard vermogen hebben om zich aan de feiten aan te passen en zeer snel te veranderen. De neergang in de industrie – de sleutel tot economisch succes – stelt Japan echter voor een van de grootste uitdagingen uit zijn geschiedenis.

De neergang van de industrie als bron van welvaart en werkgelegenheid heeft de economische, sociale en politieke kaart van de wereld veranderd. Die zorgt ervoor dat het voor ontwikkelingslanden steeds moeilijker wordt om economische wonderen te bewerkstelligen. De economische wonderen van de tweede helft van de twintigste eeuw – Japan, Zuid-Korea, Taiwan, Hongkong en Singapore – waren gebaseerd op de export naar rijke landen. Het betrof goederen waarvan de productie te danken was aan technologie en productiviteit ontleend aan de ontwikkelde wereld; de arbeidskosten waren echter die van een ontwikkelingsland. Nu is dat niet meer mogelijk. Men zou de economische ontwikkeling van een land nog kunnen bevorderen door de economie van een opkomend land te integreren in de economie van een ontwikkeld land. Dat is wat Vicente Fox, de nieuwe Mexicaanse president, voorheeft met zijn voorstel voor een totale integratie van Noord-Amerika, dat wil zeggen de VS, Canada en Mexico. Economisch gezien is dat heel zinnig, maar vanuit politiek oogpunt is het vrijwel ondenkbaar. China volgt een alternatieve route. Men kan proberen economische groei te bewerkstelligen door de ontwikkeling van een thuismarkt. India, Brazilië en Mexico hebben bevolkingen die groot genoeg zijn om, in ieder geval in theorie, hun economische ontwikkeling te baseren op hun thuismarkt. Maar zullen kleinere landen als Paraguay of Thailand in staat zijn te exporteren naar opkomende markten als Brazilië?

De neergang van de industrie als bron van welvaart en werkgelegenheid zal onvermijdelijk leiden tot een nieuw protectionisme. Daardoor zal opnieuw gebeuren wat eerder gebeurde in de landbouwsector. Met ieder procentpunt waarmee de prijzen en de werkgelegenheid in de landbouw in de twintigste eeuw zijn gedaald, zijn de agrarische subsidies en beschermingsmaatregelen in alle ontwikkelde landen, inclusief Amerika, met minstens 1 procent gestegen. Hoe minder boeren er waren, hoe belangrijker de stem van de boeren werd. Hoewel in alle rijke landen het aantal boeren is afgenomen, hebben de belangengroepen van de boeren er onevenredig veel invloed.

Het protectionisme in de industriële sector is nu al manifest, ook al neemt het de vorm aan van subsidies en niet van traditionele tarieven. Nieuwe economische blokken zoals de Europese Unie, NAFTA of Mercosur creëren grote regionale markten met lage interne barrières. Tegelijk werpen zij steeds hoger wordende barrières op tegen producenten van buiten. In dezelfde week waarin in de Amerikaanse pers werd aangekondigd dat de prijzen van plaatstaal met 40 procent daalden, veroordeelde de Amerikaanse regering de invoer van plaatstaal als dumping. Hoe prijzenswaardig de doelen op zich ook zijn, de nadruk die ontwikkelde landen leggen op rechtvaardige arbeidswetten en adequate milieuregels betekent voor producenten in ontwikkelingslanden een beperking van hun mogelijkheden naar de rijke landen te exporteren.

Meer invloed met minder mensen

Ook in politiek opzicht wordt de industrie invloedrijker naarmate het aantal industriearbeiders daalt. Dat geldt zeker voor Amerika.

Bij de laatste presidentsverkiezingen was de stem van de arbeiders belangrijker dan veertig of vijftig jaar geleden, juist omdat het aantal vakbondsleden als deel van het totale aantal stemgerechtigden zoveel kleiner is geworden. Aangezien ze zich bedreigd voelden, hebben ze de rijen gesloten. Enkele tientallen jaren geleden stemde een aanzienlijke minderheid van de Amerikaanse vakbondsleden republikeins. Bij de verkiezingen van het afgelopen jaar zou meer dan 90 procent van de vakbondsleden democratisch hebben gestemd.

Honderd jaar lang hebben Amerikaanse vakbonden zich, in ieder geval verbaal, sterke voorstanders getoond van vrijhandel. De afgelopen paar jaar hielden ze felle protectionistische pleidooien en werden ze verklaarde tegenstanders van globalisering. Dit ondanks het feit dat de echte bedreiging voor de industriële werkgelegenheid niet afkomstig is van buitenlandse concurrentie, maar van de snelle neergang van de industrie als bron van werkgelegenheid. De industriële productie stijgt terwijl de werkgelegenheid daalt. Dat is noch voor vakbondsmensen te vatten, noch voor politici, journalisten, economen of het grote publiek. De meeste mensen geloven nog altijd dat als de industriële werkgelegenheid afneemt de industriële basis van het land bedreigd wordt en beschermd dient te worden. Ze kunnen maar moeilijk accepteren dat maatschappij en economie voor de eerste keer niet gedomineerd worden door handwerk. Ze kunnen nauwelijks geloven dat een bevolking kan leven en zich kan voeden en kleden terwijl maar een kleine minderheid zich met handwerk bezighoudt.

Het nieuwe protectionisme wordt net zo goed gevoed door nostalgie en diepgewortelde emoties als door economisch eigenbelang en politieke macht. Toch zal dit niet helpen, aangezien het beschermen van verouderende industrieën geen zin heeft. Dat is de duidelijke les van zeventig jaar landbouwsubsidies. Oude gewassen als maïs, tarwe en katoen, gewassen waarin Amerika sinds de jaren dertig talloze miljarden heeft gepompt, hebben het allemaal slecht gedaan, terwijl niet-beschermde en niet-gesubsidieerde gewassen zoals sojabonen hebben gefloreerd. De les is duidelijk. Een besluit om de oude industrieën te betalen om overtollige werknemers vast te houden, kan alleen maar schade aanrichten. Als er geld wordt uitgegeven zou dat juist moeten gaan naar inkomenssteun voor oudere, ontslagen werknemers en naar het omscholen en overplaatsen van jongere werknemers.

Zal de onderneming weten te overleven?

Vanaf de oprichting van de eerste onderneming rond 1870 is men meestal uitgegaan van de volgende vijf punten:

1. De onderneming is de baas, de werknemer is de knecht. Aangezien de onderneming eigenaar is van de productiemiddelen en de werknemer niet zonder die productiemiddelen in zijn levensonderhoud kan voorzien, heeft de werknemer de onderneming harder nodig dan de onderneming de werknemer.
2. De grote meerderheid van de werknemers werkt voltijds voor de onderneming. Het salaris dat ze krijgen is hun enige bron van inkomen en voorziet in hun levensonderhoud.
3. De meest efficiënte manier om iets te produceren is om onder een centrale leiding zoveel mogelijk activiteiten samen te brengen die nodig zijn voor de vervaardiging van een product. Deze theorie werd pas na de Tweede Wereldoorlog ontwikkeld door Ronald Coase. Deze Amerikaanse econoom stelde dat het bij elkaar brengen van activiteiten in één bedrijf niet alleen de afhandelingskosten verlaagt maar ook de kosten van communicatie. Voor deze theorie ontving hij in 1991 de Nobelprijs voor economie. Maar het idee zelf werd zeventig of tachtig jaar eerder al gevormd en in praktijk gebracht door John D. Rockefeller. Die ontdekte dat het bij elkaar brengen van exploratie, productie, transport, bewerking en verkoop binnen één ondernemingsstructuur resulteerde in de efficiëntste en goedkoopste manier om olie te verwerken. Op basis van dit inzicht heeft hij Standard Oil opgezet, waarschijnlijk de meest winstgevende grote onderneming uit de geschiedenis van het zakenleven. Het concept werd tot in het extreme doorgevoerd door Henry Ford in de vroege jaren twintig. De Ford Motor Company produceerde en assembleerde niet alleen alle onderdelen van

de auto, maar maakte ook zijn eigen staal, glas en banden. Hij bezat plantages in het Amazonegebied, waar rubberbomen werden gekweekt, hij bezat en runde de spoorweg die voorraden aanvoerde naar de fabriek en de voltooide auto's weer afvoerde. Uiteindelijk lag het in de bedoeling om ook de verkoop en service van Ford-auto's in eigen hand te nemen, al is het zover nooit gekomen.
4. Leveranciers, en zeker fabrikanten, hebben een marktpositie omdat zij beschikken over informatie over een product of dienst. De klant heeft die informatie niet, kan die ook niet hebben en heeft die niet nodig als hij het merk kan vertrouwen. Dit verklaart de winstgevendheid van merken.
5. Er bestaat een één-op-éénrelatie tussen een specifieke technologie en een specifieke industrie. Dat wil zeggen dat iedere technologie die nodig is voor de productie van staal specifiek is voor de staalindustrie. Omgekeerd betekent het dat iedere technologie die gebruikt wordt bij de productie van staal voortkomt uit de staalindustrie zelf. Hetzelfde geldt voor de papierindustrie, de landbouw, het bankwezen en de handel.

Deze aanname ligt ten grondslag aan de industriële onderzoekslaboratoria, te beginnen met dat van Siemens, dat in 1869 in Duitsland werd opgericht. Het laatste van de grote laboratoria die op dezelfde basis werden opgezet, is dat van IBM uit 1952. Allemaal concentreerden zij zich op de technologie die nodig was voor een bepaalde industrie en allemaal gingen ze ervan uit dat hun ontdekkingen in diezelfde industrie zouden worden toegepast.

Op analoge wijze leek het iedereen vanzelfsprekend dat ieder product en iedere dienst een specifieke toepassing kent, en dat er voor iedere toepassing een specifiek product bestaat. Vandaar dat bier en melk verkocht werden in glazen flessen, dat het chassis van auto's alleen van staal werd vervaardigd, werkkapitaal voor een bedrijf geleverd werd door een commerciële bank enzovoort. De concurrentie vond daardoor hoofdzakelijk plaats binnen de grenzen van de industrie. In het algemeen was duidelijk in welke tak van industrie een bepaald bedrijf actief was en wat zijn markt was.

Alles heeft zijn plaats

Al deze uitgangspunten bleven een eeuw van kracht, maar vanaf 1970 zijn ze stuk voor stuk op z'n kop gezet. De lijst ziet er nu als volgt uit.

1. Het productiemiddel is kennis. Kenniswerkers zijn er de eigenaar van en kennis is zeer mobiel. Dit geldt net zo goed voor hooggeschoolde werknemers zoals researchwetenschappers en kennistechnologen als voor fysiotherapeuten, computertechnici en juridische medewerkers. Kenniswerkers leveren kapitaal zoals een ander geld. Beide zijn van elkaar afhankelijk. Hierdoor wordt de kenniswerker een gelijke – een associé of partner.
2. Veel werknemers – misschien wel de meesten – zullen nog altijd fulltime banen hebben met een salaris als hun enige of belangrijkste bron van inkomen. Maar steeds meer mensen die voor een organisatie werken zullen parttimers, uitzendkrachten, consultants of contractuelen zijn. Zelfs onder de mensen met een fulltime baan zullen er steeds meer zijn die niet in dienst zijn bij de organisatie waarvoor ze werken, maar bijvoorbeeld bij een detacheerder.
3. Het belang van afhandelingskosten was altijd aan grenzen gebonden. Henry Fords alomvattende Ford Motor Company bleek onbestuurbaar en draaide uit op een catastrofe. Inmiddels is het traditionele axioma dat een onderneming moet streven naar maximale integratie vrijwel volledig onderuitgehaald. Een van de redenen daarvoor is dat de kennis die nodig is voor de afzonderlijke activiteiten zeer gespecialiseerd is geworden. Het wordt steeds duurder en ook steeds moeilijker om voor iedere belangrijke taak voldoende expertise in huis te hebben. Kennis veroudert snel. Het handhaven van een activiteit die slechts met tussenpozen wordt ontwikkeld, leidt gegarandeerd tot incompetentie.

De tweede reden waarom maximale integratie niet langer nodig is, is dat de kosten van communicatie in hoog tempo verwaarloosbaar zijn geworden. Het begin van deze neergang dateert al van voor de Informatierevolutie. Misschien is de belangrijkste oorzaak wel de groei en verspreiding van kennis van bedrijfsprocessen. Toen Rockefeller zijn Standard Oil Trust op poten zette, was het voor hem buitengewoon moeilijk om mensen te vinden die de meest elementaire kennis van boekhouden hadden of ooit hadden gehoord van heel gewone bedrijfstermen. Leerboeken of cursussen voor het bedrijfsleven bestonden toen nog niet. Daardoor waren de kosten die je moest maken om begrepen te worden buitengewoon hoog. In 1960 konden de grote oliemaatschappijen die Standard Oil opvolgden er zonder meer van uitgaan dat hun hogere personeel over de nodige vakkennis beschikte.

Inmiddels hebben nieuwe media als internet en e-mail de kosten van communicatie vrijwel geëlimineerd. Dat heeft tot gevolg dat desintegreren tegenwoordig de meest productieve en winstgevende manier van organiseren is. Dit wordt uitgebreid naar steeds meer activiteiten. Het is voor organisaties steeds gebruikelijker geworden om het management van de informatietechnologie, de dataverwerking en het computersysteem uit te besteden. Aan het begin van de jaren negentig besteedden de meeste Amerikaanse computerfabrikanten zelfs de productie van hun hardware uit aan fabrikanten in Japan en Singapore. Tegen het eind van de jaren negentig deed praktisch ieder Japans bedrijf dat actief was in de consumentenelektronica hetzelfde: de fabricage van zijn producten voor de Amerikaanse markt uitbesteden aan Amerikaanse fabrikanten.

De afgelopen jaren is het gehele *human resource management* van meer dan 2 miljoen Amerikaanse werknemers – aannemen, ontslag, training, bonussen enzovoort – uitbesteed aan professionele personeelsorganisaties. Deze sector bestond tien jaar geleden nauwelijks, maar groeit nu met 30 procent per jaar. Aanvankelijk betrof het vooral kleine en middelgrote bedrijven, maar de grootste, Exult, opgericht in 1998, handelt nu de personeelszaken af voor een aantal bedrijven uit de Fortune 500, waaronder BP en Unisys, een computerfabrikant. Volgens een studie van McKinsey kan het uitbesteden van personeelszaken een kostenbesparing van 30 procent opleveren; bovendien neemt de tevredenheid van de werknemer erdoor toe.

4. Tegenwoordig beschikt de klant over de informatie. Internet ontbreekt het nog aan een soort telefoonboek. Dat zou het voor gebruikers makkelijker maken om iets op te zoeken. Nog altijd is het vaak een kwestie van lukraak zoeken. Zoekmachines die voor

een bepaald bedrag iets opzoeken, ontwikkelen zich snel. Wie over de informatie beschikt heeft de macht. Op die manier verschuift de macht naar de klant, of dat nu een bedrijf is of de uiteindelijke consument. Uiteindelijk is de leverancier, de fabrikant, niet langer de verkoper. Hij wordt een koper voor de klant. Dat gebeurt nu in feite ook al.

General Motors, 's werelds grootste fabrikant en al vele jaren de meest succesvolle verkooporganisatie, heeft vorig jaar aangekondigd een onderneming te willen opzetten die gaat inkopen voor de consument die een auto wil. Hoewel het bedrijf helemaal eigendom zal zijn van GM zal het niettemin autonoom zijn. Het gaat niet alleen auto's kopen van General Motors, maar iedere auto en ieder model dat past bij de voorkeuren, eisen en portemonnee van de individuele klant.

5. Tot slot: er bestaan nog maar weinig echt unieke technologieën. Het gebeurt steeds vaker dat de kennis die nodig is in een bepaalde bedrijfstak voortkomt uit een totaal andere technologie. De mensen in die bedrijfstak weten dat vaak zelf niet eens. Niemand in de telecomsector wist iets af van glasvezelkabels. Die werden ontwikkeld door een glasbedrijf genaamd Corning. Aan de andere kant heeft meer dan de helft van de belangrijke uitvindingen die sinds de Tweede Wereldoorlog zijn gedaan door het meest productieve onderzoekslaboratorium, namelijk dat van Bell, vooral toepassing gevonden buiten de telefoonindustrie.

De belangrijkste uitvinding van dat laboratorium in de afgelopen vijftig jaar was de transistor. De moderne elektronica-industrie dankt er zijn bestaan aan. Bell zag echter zo weinig perspectief voor deze revolutionaire ontdekking dat het die vrijwel cadeau deed aan iedereen die erom vroeg. Zo kregen Sony en andere Japanse bedrijven toegang tot de consumentenelektronica.

Wie wil er een onderzoekslaboratorium?

Onderzoeksmanagers en technische specialisten zijn tegenwoordig van mening dat het eigen onderzoekslaboratorium, die trotse uitvinding van de negentiende eeuw, zijn tijd heeft gehad. Dit verklaart waarom ontwikkeling en groei van een bedrijf steeds vaker niet binnen het bedrijf zelf plaatsvinden maar via partnerships, joint ventures, allianties, minderheidsparticipaties en kennisovereenkomsten met allerhande organisaties. Iets wat vijftig jaar geleden nog ondenkbaar was, is normaal geworden: allianties tussen organisaties met een totaal verschillend karakter. Het kan gaan om een commercieel bedrijf en een universiteitsfaculteit, een stad of een lagere overheid en een bedrijf dat via een contract een specifieke dienst verleent zoals het schoonhouden van de straten of het beheren van gevangenissen.

Vrijwel geen enkel product of dienst kent nog één enkel specifiek gebruik of toepassing. Commercieel waardepapier gaat de concurrentie aan met commerciële leningen van banken. Karton, plastic en aluminium beconcurreren glas op de flessenmarkt. Glas vervangt koper in kabels. Staal is een concurrent geworden van hout en plastic in de houtconstructies van Amerikaanse eengezinswoningen. De lijfrente verdringt de traditionele levensverzekering naar de zijlijn, terwijl aan de andere kant verzekeringsmaatschappijen bij het beheren van commerciële risico's steeds vaker de plaats innemen van financiële dienstverleners.

Een glasbedrijf zal zijn activiteiten wellicht moeten herdefiniëren op basis van wat het goed kan en niet op basis van het materiaal waarin het zich in het verleden specialiseerde. Een van 's werelds grootste glasmakers, Corning, heeft zijn winstgevende bedrijf waarin traditionele glasproducten werden gemaakt verkocht om 's werelds eerste producent en leverancier te worden van technologisch hoogwaardige materialen. Amerika's grootste farmaceutische firma, Merck, heeft zijn aandacht van de fabricage van medicijnen verschoven naar de grootschalige handel in farmacieproducten. De meeste producten zijn niet eens van Merck afkomstig; een flink aantal komt zelfs van de concurrentie.

Hetzelfde gebeurt in de niet-commerciële sectoren van de economie. Een voorbeeld is de zelfstandige kraamkliniek. Een groep verloskundigen gaat op die manier de concurrentie aan met de kraamafdeling van Amerikaanse ziekenhuizen. Lang voor de opkomst van internet ontwikkelde Groot-Brittannië de Open Universiteit. Die stelt mensen in staat om aan een universiteit te studeren en een diploma te halen zonder dat ze ooit een leslokaal van binnen zien of een college bezoeken.

Het bedrijf van de toekomst

Het staat vrijwel vast dat de toekomst niet één soort bedrijf te zien zal geven, maar heel veel verschillende. Het moderne bedrijf is een uitvinding die op hetzelfde moment – maar zonder enig onderling verband – werd gedaan in drie landen: Amerika, Duitsland en Japan. Het ging om iets totaal nieuws. De vinding leek in niets op de organisatie die duizenden jaren lang vorm had gegeven aan het economische leven: de kleine, persoonlijk geleide firma in privé-eigendom. Nog in 1832 constateerde het Engelse McLane-rapport – het eerste statistische onderzoek naar bedrijven – dat bijna alle bedrijven privé-bezit waren en minder dan tien werknemers hadden. De enige uitzonderingen werden gevormd door organisaties die aan een overheid gelieerd waren, zoals de Bank of Engeland en de Oostindische Compagnie. Veertig jaar na dat rapport stond er een totaal nieuwe organisatie met duizenden werknemers: de Amerikaanse spoorwegen, opgericht met steun van de overheid en de Deutsche Bank.

Hoe het de bedrijven ook verging, ze verwierven bepaalde nationale kenmerken en pasten zich in elk land aan bij de wettelijke regelingen. De zeer grote bedrijven werden toch altijd al heel anders bestuurd dan kleine privé-ondernemingen. Er bestaan substantiële verschillen in cultuur, waarden en retorica tussen bedrijven in verschillende industrieën. Banken lijken overal heel erg op elkaar, en dat geldt ook voor de detailhandel of fabrikanten. Maar overal verschillen banken van detailhandelsondernemingen en productiebedrijven. Aan de andere kant zijn de verschillen tussen bedrijven meer een kwestie van stijl dan van inhoud. Hetzelfde geldt voor moderne organisaties als overheidsinstellingen, strijdkrachten, ziekenhuizen en universiteiten.

Het tij keerde rond 1970. Het begon met de opkomst van nieuwe institutionele investeerders zoals pensioenfondsen en beleggingsmaatschappijen. Daarna, en dat had meer invloed, met de opkomst van kenniswerkers als het belangrijkste nieuwe kapitaal in de economie en de meest representatieve klasse in de maatschappij. Dit heeft geleid tot een fundamentele verandering in de bedrijven.

In de nieuwe samenleving zal een bank nog altijd niet lijken op een ziekenhuis en ook niet zo bestuurd worden, maar verschillende banken kunnen sterk van elkaar afwijken, al naar gelang hun indi viduele reactie op de veranderingen in het personeel, de technologie en de markten. Waarschijnlijk zullen er verschillende modellen ontstaan voor organisaties en structuren, en misschien ook wel voor de beloning van de werknemers.

Dezelfde rechtspersoon – een bedrijf, een overheidsinstelling of een grote non-profitorganisatie – kan heel goed diverse organisatievormen kennen, die wel op elkaar aansluiten, maar los van elkaar en telkens op een specifieke manier bestuurd worden. Dit zou kunnen opgaan voor de traditionele organisatie van fulltime werknemers. Een apart deel van de organisatie zou zich uitsluitend kunnen bezighouden met de oudere mensen die niet in dienst zijn van de organisatie maar er wel op de een of andere manier mee geassocieerd zijn. Waarschijnlijk zullen er ook groepen mensen zijn die wel voor de organisatie werken, eventueel zelfs fulltime, maar die in dienst zijn bij een detacheerder of bij een fabrikant die op contractbasis werkt. Zulke werknemers hebben zelf geen arbeidsovereenkomst met het bedrijf waarvoor ze werken en dat bedrijf heeft op zijn beurt geen controle over hen. Misschien is voor deze mensen geen apart management nodig, maar zij dienen wel productief gemaakt te worden. Dat is de reden dat zij dáár ingezet dienen te worden waar hun specialistische kennis de grootste bijdrage kan leveren. Er is dikwijls sprake van kennismanagement, maar er is nog niemand die weet hoe dat moet.

Niet minder belangrijk is dat de werknemers in al deze verschillende categorieën bevrediging in hun werk zullen moeten vinden. Het personeelsmanagement zal tot taak krijgen deze mensen binnen te halen en vast te houden. We weten nu al wat niet werkt: omkoping. De afgelopen tien of vijftien jaar hebben veel Amerikaanse bedrijven bonussen of aandelenopties gebruikt om kenniswerkers aan te trekken of vast te houden. Dat is overal mislukt.

Je kunt geen handen inhuren, aangezien de hele mens meekomt. Ook een mens kun je echter niet inhuren: de partner komt mee. En de partner heeft het geld al uitgegeven als de dalende winsten de bonussen elimineren of dalende koersen de opties waardeloos maken. Dan zijn zowel de werknemer als de partner verbitterd en voelen ze zich verraden.

Natuurlijk dient het salaris kenniswerkers tevreden te stemmen, want ontevredenheid over het inkomen en de bonussen werkt sterk demotiverend. De bonussen kunnen echter heel verschillend zijn. Het management van kenniswerkers zou gebaseerd moeten zijn op de stelling dat het bedrijf hen harder nodig heeft dan zij het bedrijf. Zij weten dat ze kunnen vertrekken. Ze zijn mobiel en ze zijn vol zelfvertrouwen. Dit betekent dat ze bejegend en aangestuurd dienen te worden als vrijwilligers die werken voor non-profitorganisaties. Het eerste wat zulke mensen willen weten is wat het bedrijf wil bereiken en welke kant het op gaat. Vervolgens zijn ze geïnteresseerd in persoonlijke prestaties en persoonlijke verantwoordelijkheid. Dat betekent dat ze passende taken dienen te krijgen. Kenniswerkers verwachten dat ze voortdurend kunnen leren en zich kunnen bijscholen. Bovenal wensen ze respect, niet zozeer voor zichzelf, maar voor hun kennisgebied. In dat opzicht hebben ze zich een aantal stappen verwijderd van de traditionele werknemer die doorgaans verwachtte dat hem verteld zou worden wat hij moest doen, al werd ook van hem de laatste jaren al steeds meer verwacht dat hij zou participeren. Kenniswerkers daarentegen gaan ervan uit dat ze op hun eigen vakgebied zelf beslissingen kunnen nemen.

Van onderneming naar federatie

Tachtig jaar geleden werden door General Motors de organisatorische concepten en de organisatorische structuur ontwikkeld die nog altijd ten grondslag liggen aan de huidige grote ondernemingen. Bij General Motors komt het idee vandaan van een afzonderlijk topmanagement. Momenteel experimenteert het bedrijf met een hele reeks nieuwe organisatorische modellen. Het heeft een duidelijke transformatie ondergaan: van een enkelvoudige onderneming, bijeen gehouden door op eigendom gebaseerde controle, tot een groep bedrijven die bij elkaar gehouden wordt door bestuurlijke controle. In de afzonderlijke bedrijven bezit GM vaak slechts een minderheid van de aandelen. GM heeft zeggenschap over Fiat – een van de oudste en grootste autofabrikanten – zonder er de eigenaar van te zijn. Op dezelfde manier is GM de baas bij het Zweedse Saab en bij twee kleinere Japanse autofabrikanten, Suzuki en Isuzu.

Tegelijkertijd heeft GM zich teruggetrokken uit het merendeel van zijn productiebedrijven. Het heeft in een afzonderlijk bedrijf – Delphi – de fabricage ondergebracht van onderdelen en accessoires die samen 60 tot 70 procent van de productiekosten van een auto uitmaken. In plaats van de leverancier van onderdelen en accessoires zelf te bezitten of er de zeggenschap over uit te oefenen, zal GM die artikelen in de toekomst kopen via veilingen en op internet. Samen met zijn Amerikaanse concurrenten Ford en DaimlerChrysler heeft GM een onafhankelijke inkoopcoöperatie opgezet die voor zijn leden steeds de beste aanbieding uitzoekt. Andere autofabrikanten zijn uitgenodigd om aan dit initiatief deel te nemen.

GM zal auto's blijven ontwikkelen, motoren blijven maken en blijven assembleren. Het zal ook zijn auto's blijven verkopen via zijn netwerk van dealers. Maar naast de verkoop van zijn eigen auto's is GM van plan een autohandelaar en -koper te worden voor de consument. Het bedrijf wil voor de koper de juiste auto vinden, ongeacht wie de fabrikant is.

Zo doet Toyota het

GM is nog altijd 's wereld grootste autofabrikant, maar de afgelopen twintig jaar is Toyota de meest succesvolle geweest. Net als GM heeft Toyota een wereldomspannende groep opgebouwd, maar anders dan GM heeft Toyota die groep georganiseerd rond zijn belangrijkste vaardigheid, namelijk fabricage. Het bedrijf wil af van het grote aantal leveranciers van onderdelen en accessoires en wil er uiteindelijk voor ieder onderdeel hooguit twee overhouden. Dat zullen aparte en onafhankelijke bedrijven zijn met een lokale eigenaar, maar Toyota zal het fabricageproces aansturen. Deze bedrijven kunnen alleen met Toyota zaken doen als ze ermee instemmen dat ze geïnspecteerd en geadviseerd worden door een speciale afdeling van Toyota. Toyota zal bovendien het merendeel van het ontwikkelwerk van de leveranciers voor zijn rekening nemen.

Dit is geen nieuw idee. In de jaren twintig en dertig deed Sears Roebuck hetzelfde al voor zijn leveranciers. Het Britse Marks & Spencer zit momenteel zwaar in de problemen, maar was gedurende een halve eeuw 's werelds meest succesvolle detailhandelaar. Het wist zijn suprematie vooral te handhaven dankzij de ijzeren greep die het had op zijn leveranciers. In Japan meent men dat Toyota uiteindelijk van plan is om als consultant ook buiten de auto-industrie actief te worden. Het bedrijf zou zijn *core competence* – fabricage – in een aparte grote onderneming willen onderbrengen.

Weer een andere benadering wordt onderzocht door een grote fabrikant van verpakte consumptiegoederen. Ongeveer 60 procent van de producten van dit bedrijf wordt in de ontwikkelde landen verkocht via zo'n honderdvijftig detailhandelsketens. Het bedrijf is van plan een website te lanceren die bestellingen opneemt van klanten waar ook ter wereld. De boodschappen kunnen dan ofwel opgehaald worden in de supermarkt het dichtst bij hen in de buurt ofwel bij hen thuis worden afgeleverd. Maar, en daar schuilt de echte innovatie, de website zal ook bestellingen opnemen voor artikelen van andere, vooral kleinere bedrijven. Het is voor deze bedrijven moeilijk hun artikelen geplaatst te krijgen op de steeds vollere schappen in de supermarkten. De website van de multinational geeft hen direct toegang tot hun klanten; de bezorging is in handen van een bestaande detailhandelsonderneming. Het levert de multinational en de detaillist diverse voordelen op. Ze krijgen beide een fatsoenlijke commissie zonder dat ze eigen geld hoeven te investeren. Ze lopen bovendien geen risico en zijn geen ruimte op de schappen kwijt zijn aan artikelen die niet lopen.

Dit thema kent al een flink aantal variaties. Ik noemde al eerder de Amerikaanse fabrikanten die momenteel de producten fabriceren voor een handvol concurrerende Japanse producenten van consumentenelektronica. Er zijn ook onafhankelijke specialisten die software ontwerpen voor concurrerende fabrikanten van hardware, onafhankelijke specialisten die niet alleen creditcards ontwerpen voor concurrerende Amerikaanse banken, maar die kaarten bovendien uitgeven en het gebruik fiatteren. De bank zorgt alleen voor de financiering.

Hoezeer deze benaderingen ook verschillen, ze vinden allemaal hun uitgangspunt in de traditionele onderneming. Daarnaast bestaan er nieuwe ideeën die het model van de onderneming helemaal laten vallen. Eén voorbeeld daarvan is het syndicaat zoals dat uitgeprobeerd wordt door verschillende niet-concurrerende fabrikanten binnen de Europese Unie. De deelnemende bedrijven zijn stuk voor stuk middelgrote familiebedrijven waaraan de eigenaar leiding geeft. Ze zijn marktleider voor een sterk gespecialiseerd, technisch geavanceerd product. Deze bedrijven zijn bovendien zeer sterk afhankelijk van export. Ze zijn van plan onafhankelijk te blijven en hun producten zelf te blijven ontwikkelen. Ze willen bovendien voor de belangrijkste markten blijven fabriceren in hun eigen fabrieken en de producten zelf op die markten afzetten. Voor andere markten, en zeker die in opkomende of minder ontwikkelde landen, treft het syndicaat regelingen voor de fabricage van de producten. De fabricage vindt ofwel plaats in eigen fabrieken van het syndicaat ofwel bij lokale fabrikanten die op contractbasis werken. Het syndicaat handelt de levering van de producten van de leden af en zorgt op alle markten voor de service. Elk lid heeft een aandeel in het syndicaat en het syndicaat heeft op zijn beurt een klein aandeel in het kapitaal van elke deelnemer. Als dit bekend in de oren klinkt dan klopt dat. Het achterliggende model is dat van de negentiende-eeuwse landbouwcoöperatie.

De toekomst van het topmanagement

Naarmate ondernemingen zich ontwikkelen in de richting van een federatie of een syndicaat, zal in toenemende mate een topmanagement nodig zijn dat op afstand staat, macht heeft en ter verantwoording kan worden geroepen. De verantwoordelijkheden van dit topmanagement bestrijken tal van gebieden: planning en strategie; de waarden en uitgangspunten van de organisatie; haar structuur en de relatie tussen de verschillende leden; allianties, partnerschappen en joint ventures; research, design en innovatie. Het management dient directe zeggenschap te hebben over wat alle organisatie-eenheden met elkaar gemeen hebben, namelijk de belangrijkste mensen en het geld. Het vertegenwoordigt de onderneming naar buiten toe en onderhoudt relaties met regeringen, het publiek, de media en de vakbonden.

Het leven aan de top

Niet minder belangrijk zal het voor het topmanagement van de onderneming van de toekomst zijn om de drie dimensies van de onderneming op elkaar af te stemmen: de economische, de menselijke en de in belang toenemende sociale dimensie. Elk van de drie bedrijfsmodellen die in de afgelopen halve eeuw zijn ontwikkeld, benadrukte een van deze dimensies, ten koste van de andere twee. Het Duitse model van de sociale markteconomie benadrukte de sociale dimensie en het Japanse model de menselijke. Het Amerikaanse model, waarin de aandeelhouder de belangrijkste positie inneemt, gaf voorrang aan de economische dimensie.

Geen van deze drie modellen is als zodanig adequaat. Het Duitse model bereikte economisch succes en sociale stabiliteit, maar dat ging ten koste van hoge werkloosheid en een gevaarlijke rigiditeit van de arbeidsmarkt. Het Japanse model was twintig jaar lang buitengewoon succesvol, maar het faalde bij de eerste de beste serieuze uitdaging. Het verhindert nu dat Japan de recessie achter zich kan laten. Het model waarbij de aandeelhouder op de eerste plaats komt, is net zo goed gedoemd te mislukken. Het is een mooiweermodel dat alleen functioneert in tijden van welvaart. Het is duidelijk dat de onderneming alleen aan zijn menselijke en sociale functies toekomt wanneer het bedrijf bloeit, maar nu kenniswerkers, de belangrijkste werknemers worden, is het voor een bedrijf ook nodig om een aantrekkelijke werkgever te zijn.

Het is paradoxaal dat de situatie waarin de bedrijfsresultaten de absolute prioriteit krijgen – een situatie die de dominante rol van de aandeelhouders in het algemeen mogelijk maakte – juist het belang van de sociale dimensie heeft belicht. De nieuwe aandeelhouders, van wie de opkomst vanaf 1960 heeft geleid tot de overheersende rol van de aandeelhouders, zijn geen kapitalisten. Het zijn werknemers die door hun pensioenfondsen een aandeel hebben in het bedrijf. Rond de eeuwwisseling hadden pensioenfondsen en beleggingsmaatschappijen de meerderheid van het aandelenkapitaal van de grote Amerikaanse ondernemingen in handen. Dit heeft de aandeelhouders de macht gegeven om resultaten op korte termijn te eisen. Maar de behoefte aan vaste pensioeninkomsten zal meer en meer mensen de ogen openen voor het belang van investeringen op langere termijn. Ondernemingen zullen aandacht moeten schenken aan de bedrijfsresultaten op korte termijn en aan hun *performance* op lange termijn. Deze twee zijn niet onverenigbaar, maar ze verschillen wel en ze zullen met elkaar in evenwicht moeten worden gebracht.

De afgelopen twintig jaar is het leidinggeven aan grote ondernemingen totaal veranderd. Dat verklaart de opkomst van de ceo als superman: Jack Welch van GE, Andrew Grove van Intel en Sanford Weill van Citigroup. Maar organisaties kunnen er niet op vertrouwen dat supermannen wel leiding zullen geven. De beschikbare kandidaten zijn niet alleen onvoorspelbaar, er zijn er ook veel te weinig. Organisaties kunnen alleen overleven als de leiding in handen komt van competente mensen die hun werk serieus nemen. Dat er vandaag de dag een genie nodig is om leiding te geven aan een grote onderneming wijst duidelijk op een crisis in het topmanagement.

Onmogelijke banen

Het afbreukpercentage van topmanagers van grote Amerikaanse bedrijven wijst in dezelfde richting. Een groot aantal van de ceo's die de afgelopen tien jaar door deze bedrijven zijn aangesteld, is binnen twee jaar aan de kant geschoven. Toch waren al deze mensen geselecteerd op grond van hun bewezen competentie en waren ze allemaal zeer succesvol geweest in eerdere banen. Dit suggereert dat de baan die ze namen niet meer te doen was. Deze situatie wijst niet op menselijk falen maar op fouten in het systeem. Er is een nieuw concept nodig voor het topmanagement van grote organisaties.

Enkele elementen van zo'n concept beginnen al duidelijk te worden. Jack Welch van GE heeft een managementteam opgezet waarbij de belangrijkste financiële man en de hoogste directeur Personeelszaken vrijwel de gelijke zijn van de ceo. Beide zijn echter uitgesloten van de opvolging van de hoogste baas. Die heeft zichzelf en zijn team een duidelijke en publiekelijk aangekondigde hoofddoelstelling gegeven om zich op te concentreren. In de twintig jaar dat hij de baas is bij GE heeft Welch drie van zulke doelstellingen geformuleerd. Afzonderlijk hebben die hem steeds minstens vijf jaar beziggehouden. Telkens heeft hij zijn andere taken gedelegeerd aan het topmanagement van de werkmaatschappijen binnen de GE-federatie.

Een andere benadering werd gekozen door Asea Brown Boveri (ABB), een grote Zweeds-Zwitserse multinational, gespecialiseerd in technische installaties. Goran Lindahl, die eerder dit jaar zijn toppositie neerlegde, ging nog verder dan GE bij het opzetten van afzonderlijke eenheden binnen het bedrijf. Hij creëerde wereldwijd opererende werkmaatschappijen en zette een krachtig topmanagementteam op poten van enkele mensen zonder bestuurlijke taken. Zijn eigen rol definieerde hij als die van een informatiesysteem voor het bedrijf. Hij was onophoudelijk onderweg om alle topmanagers persoonlijk te leren kennen, hij luisterde naar hen en vertelde hun wat er binnen de organisatie gebeurde.

Een grote financiële dienstverlener gooide het over een weer andere boeg. Ze benoemde niet één ceo maar zes. Het hoofd van elk van de vijf werkmaatschappijen is ook ceo voor het hele bedrijf op een managementterrein als planning, strategie of personeel. De hoogste directeur vertegenwoordigt het bedrijf naar buiten toe en is bovendien direct betrokken bij het werven, toewijzen en managen van geld. Deze zes mensen ontmoeten elkaar twee maal per week en vormen het topmanagementcomité. Dit lijkt goed te werken, maar alleen omdat geen van de vijf ceo's van de werkmaatschappijen op de stoel van de voorzitter wil gaan zitten. Ze geven er allemaal de voorkeur aan bij hun werkmaatschappij te blijven. Zelfs degene die het systeem heeft uitgedacht en voor zichzelf de rol van voorzitter heeft gecreëerd, betwijfelt of het systeem in stand zal blijven als hij vertrekt.

Hoe verschillend ook, de topmanagers bij al deze bedrijven hebben allemaal precies hetzelfde geprobeerd: vormgeven aan het unieke karakter van de eigen organisatie. Dat zou wel eens de belangrijkste taak kunnen worden voor het topmanagement van grote ondernemingen in de nieuwe samenleving. In de halve eeuw die volgde op de Tweede Wereldoorlog hebben bedrijven duidelijk aangetoond waartoe ze in economisch opzicht in staat zijn. Ze hebben welvaart en banen gecreëerd. In de nieuwe samenleving zou de grootste uitdaging voor een grote onderneming – en in het bijzonder voor de multinational – wel eens haar sociale legitimiteit kunnen zijn. Haar waarden, missie en visie. Bij het bedrijf van de nieuwe samenleving is het topmanagement in toenemende mate de onderneming zelf. Al het andere kan worden uitbesteed.

Zal de onderneming het redden? Jazeker, na een restyling. Ook in de nieuwe samenleving moeten de economische hulpbronnen gecoördineerd worden door iets als een onderneming. Juridisch – en misschien ook financieel – zou die veel weg kunnen hebben van de onderneming van vandaag. Maar in plaats van een enkel model dat door iedereen wordt gehanteerd, zal er keuze zijn uit een hele reeks modellen. Op dezelfde manier zal er keuze zijn uit een aantal modellen voor de organisatie van het topmanagement.

De weg die voor ons ligt

De nieuwe samenleving is er nog niet, maar er is al genoeg van te zien om op de volgende terreinen maatregelen te overwegen.

1. Het bedrijf van de toekomst
Niet alleen ondernemingen maar ook non-profitorganisaties als universiteiten kunnen experimenten opzetten met nieuwe organisatiemodellen en pilotstudies uitvoeren. Mogelijke onderwerpen zijn: het werken met allianties, partners en joint ventures, en het vastleggen van nieuwe structuren en taken voor het topmanagement. Multinationale ondernemingen hebben bovendien nieuwe modellen nodig voor de diversificatie naar geografie en naar product en voor het in evenwicht brengen van concentratie en diversificatie.

2. Personeelsbeleid
Het personeelsmanagement gaat er bijna altijd van uit dat het personeel grotendeels bestaat uit mensen die in dienst zijn bij het bedrijf en er fulltime werken tot ze ontslagen worden, vertrekken, met pensioen gaan of sterven. Toch is al in veel organisaties twee vijfde van de mensen die er werken niet in loondienst. Evenmin werken zij voltijds. Ook de moderne personeelsmanager gaat er nog van uit dat jonge werknemers het meest gewenst en het minst duur zijn. Zeker in Amerika zijn oudere mensen en vooral oudere managers en specialisten ertoe aangespoord vervroegd met pensioen te gaan om plaats te maken voor jongeren. Die zouden minder kosten en over meer eigentijdse vaardigheden beschikken. De effecten van deze praktijk zijn niet erg bemoedigend. In het algemeen zijn na twee jaar de gemiddelde loonkosten per werknemer terug op het oude niveau. Het aantal werknemers met een vaste aanstelling lijkt even snel te stijgen als de productie en de verkoop, wat erop duidt dat jonge werknemers niet productiever zijn. Hoe dan ook, demografische ontwikkelingen zullen ervoor zorgen dat het huidige beleid veel te duur wordt en niet meer te handhaven is.

Allereerst is er behoefte aan personeelsbeleid dat zich bezighoudt met iedereen die voor een onderneming werkt, ongeacht het soort dienstverband. Uiteindelijk gaat het om de prestaties van deze mensen. Tot op heden lijkt niemand een bevredigende oplossing te hebben voor dit probleem. Ten tweede zouden ondernemingen ernaar moeten streven de verschillende soorten medewerkers – mensen die de pensioengerechtigde leeftijd hebben bereikt, die als zelfstandige op contractbasis zijn gaan werken of die niet beschikbaar zijn als fulltimers – aan te trekken, vast te houden en productief te maken. Zo zou hooggeschoolde ouderen die met pensioen gaan, de kans geboden kunnen worden bij het bedrijf werkzaam te blijven. Op die manier gaan hun vaardigheden en kennis voor het bedrijf niet verloren en behouden deze mensen zelf de flexibiliteit en de vrijheid die ze verwachten en die ze zich kunnen veroorloven.

Voor deze situatie bestaat een voorbeeld, al is dat niet afkomstig uit het bedrijfsleven maar uit de academische wereld. Ik bedoel de emeritus-hoogleraar die zijn leerstoel verlaten heeft en niet langer een salaris ontvangt. Zo iemand behoudt de vrijheid te werken zo veel hij wil, maar hij wordt alleen betaald voor wat hij werkelijk doet. Veel hoogleraren nemen volledig afscheid, maar misschien gaat wel de helft van hen parttime doceren en velen van hen gaan fulltime door met hun onderzoek. Een soortgelijke regeling zou wel eens heel geschikt kunnen zijn voor oudere specialisten uit het bedrijfsleven. Een groot Amerikaans bedrijf probeert momenteel een dergelijke regeling uit voor oudere topmensen van de juridische en fiscale afdelingen, van de afdeling O&O en van stafafdelingen. Voor mensen die werkzaam zijn in bijvoorbeeld de verkoop of fabricage zal iets anders moeten worden ontwikkeld.

3. Informatie over de buitenwereld

Het zal u misschien verbazen, maar het valt te verdedigen dat na de Informatierevolutie het management minder goed geïnformeerd is dan vroeger. Het beschikt over meer data, dat is waar, maar de meeste informatie die zo vlot door IT beschikbaar wordt gesteld, betreft interne bedrijfsaangelegenheden. Onderzoek heeft aangetoond dat de belangrijkste veranderingen voor een organisatie waarschijnlijk van buiten komen, maar daarin verschaffen de huidige informatiesystemen geen inzicht.

Een van de redenen hiervoor is dat informatie over de buitenwereld zelden beschikbaar is in een voor de computer bruikbare vorm. Die informatie is doorgaans noch gecodificeerd noch gekwantificeerd. Vandaar dat mensen uit de IT-wereld zelf en hun belangrijkste klanten ertoe neigen informatie over de buitenwereld terzijde te schuiven. Bovendien gaan veel te veel managers ervan uit dat de maatschappij die ze al hun hele leven kennen nooit zal veranderen. Ten onrechte.

Informatie over de buitenwereld wordt geleverd door internet. Hoewel de vorm hiervan nog totaal chaotisch is, kan het management de informatie over de buitenwereld die het nodig heeft, opvragen. Dat is een eerste stap op weg naar een informatiesysteem met relevante informatie over de buitenwereld.

4. Bronnen van verandering

Iedere organisatie zal zelf een bron van verandering moeten worden wil zij overeind blijven en kans van slagen hebben. De meest effectieve manier om met verandering om te gaan is die zelf te creëren. De ervaring laat echter zien dat het niet zinnig is om vernieuwingen te enten op een traditionele onderneming. De onderneming moet zelf een bron van verandering worden. Daarvoor moet ze systematisch afstand doen van alles waarvan is aangetoond dat het niet werkt en dienen alle producten, diensten en processen binnen de onderneming systematisch en continu te worden verbeterd. Dat noemen de Japanners *kaizen*. Het vereist de exploitatie van successen, met name van onverwachte en niet geplande successen, naast systematische innovatie. Door zelf een bron van verandering te worden, verandert het perspectief van de hele organisatie. Verandering wordt niet langer gezien als een bedreiging, maar als een kans.

En daarna

Tot nu toe heb ik enkele, nu al zichtbare, aspecten besproken van de nabije toekomst. Maar wat te denken van trends en gebeurtenissen waarvan we ons nu nog niet bewust zijn? Als we één ding met zekerheid kunnen voorspellen, dan is het wel dat de toekomst kenmerken zal hebben die we niet verwachten.

Denk maar aan de Informatierevolutie. Bijna iedereen weet daarover twee dingen zeker: ten eerste dat die met ongeëvenaarde snelheid voortschrijdt en ten tweede dat de gevolgen radicaler zullen zijn dan alles wat we tot nu toe gezien hebben. Maar ik geloof daar werkelijk niets van. Qua snelheid en invloed lijkt de Informatierevolutie griezelig veel op zijn voorgangers van de afgelopen tweehonderd jaar: de eerste Industriële Revolutie van eind achttiende en begin negentiende eeuw en de tweede Industriële Revolutie van eind negentiende eeuw.

De eerste Industriële Revolutie, waartoe de aanzet werd gegeven door de verbeterde stoommachine van James Watt halverwege de jaren zeventig van de achttiende eeuw, had onmiddellijk een enorme invloed op de verbeelding van het Westen. Toch vonden veel sociale en economische veranderingen pas plaats na de oprichting van de spoorwegen in 1829 en van de postbesteldiensten en de telegraaf tien jaar later. Op dezelfde manier stimuleerde de uitvinding van de computer halverwege de jaren veertig van de twintigste eeuw – het equivalent binnen de Informatierevolutie van de stoommachine – de verbeelding van de mensen, maar het duurde nog veertig jaar, tot de verbreiding van internet in de jaren negentig, voor de informatierevolutie grote economische en sociale veranderingen teweegbracht.

Op dezelfde manier plaatsen we vandaag de dag vraagtekens bij de groeiende ongelijkheid in inkomen en welvaart en bij de opkomst van superrijken als Bill Gates van Microsoft. Toch werden zowel de eerste als de tweede Industriële Revolutie gekenmerkt door eenzelfde plotselinge en onverklaarbare groei in ongelijkheid en eenzelfde opkomst van superrijken. Vergeleken met het gemiddelde inkomen en de gemiddelde welvaart van die tijd en die landen waren de superrijken toen nog heel wat rijker dan Bill Gates nu. Dit zijn duidelijke parallellen. Ze zijn bovendien overtuigend genoeg om te vermoeden dat de belangrijkste gevolgen van de Informatierevolutie op de nieuwe samenleving nog in het verschiet liggen. De jaren die volgden op de eerste en tweede Industriële Revolutie vormden de meest innovatieve en meest vruchtbare perioden sinds de zestiende eeuw. Er kwamen nieuwe instituties van de grond en er werden nieuwe theorieën bedacht. De eerste Industriele Revolutie maakte van de fabriek de belangrijkste eenheid van productie en de belangrijkste bron van welvaart. Fabrieksarbeiders werden de eerste nieuwe sociale klasse sinds de verschijning van de geharnaste ridders meer dan duizend jaar eerder. De Rothschild-dynastie, die opkwam als de grootste financiële macht ter wereld na 1810, was niet alleen de eerste investeringsbank maar ook het eerste multinationale bedrijf sinds het verbond van de Hanzesteden in de vijftiende eeuw en de De Medici. De eerste Industriële Revolutie bracht onder andere de intellectuele eigendom, naamloze vennootschappen, beperkte aansprakelijkheid, vakbonden, cooperaties, technische universiteiten en het dagblad. Aan de tweede Industriële Revolutie danken we – naast de moderne ambtenarij – de moderne onderneming, commerciële banken, businessopleidingen en de eerste niet-huishoudelijke banen buitenshuis voor vrouwen.

De twee Industriële Revoluties hebben ook nieuwe theorieën en ideologieën gebracht. Het Communistisch Manifest was een reactie op de eerste Industriële Revolutie. De politieke denkbeelden die vorm gaven aan de twintigste-eeuwse democratieën – Bismarcks welvaartstaat, de christen-socialisten en Fabians uit Groot-Brittannië, bedrijfswetgeving uit de VS – waren allemaal reacties op de tweede Industriële Revolutie. Dat gold ook voor F.W. Tailors *scientific management* (1881), dat een productiviteitsexplosie teweegbracht.

Grote ideeën

Als we naar de Informatierevolutie kijken, zien we opnieuw nieuwe instituties en theorieën opkomen. De nieuwe economische regio's – de EU, NAFTA en de voorgestelde Amerikaanse vrijhandelszone – houden het midden tussen traditionele vrijhandel en traditioneel protectionisme. Men zoekt een nieuw evenwicht tussen beide, en ook tussen de economische soevereiniteit van de nationale staat en economische besluitvorming op supranationaal niveau. Er is geen reëel alternatief voor bedrijven als de Citigroup, Goldman Sachs of ING Barings, de huidige grootmachten op financieel gebied. Die zijn niet multinationaal, ze zijn transnationaal. Het geld dat bij deze bedrijven omgaat, bevindt zich vrijwel geheel buiten het bereik van welke regering of centrale bank ook.

Er bestaat hernieuwde belangstelling voor de stelling van Joseph Schumpeter over het dynamische disequilibrium. Schumpeter zag er de enige stabiele economische toestand in. In de creatieve destructie van de vernieuwer zag hij de motor van de economie en in nieuwe technologie zag hij de belangrijkste, zoniet de enige, bron van verandering binnen de economie. Dit druist allemaal in tegen de heersende economische denkbeelden. Die beschouwen evenwicht als een gezonde economische norm, monetair en fiscaal beleid als de motor van de moderne economie en technologie als een externe factor.

Alles wijst erop dat de grootste veranderingen ons nog te wachten staan. We kunnen er zeker van zijn dat de maatschappij van 2030 sterk zal afwijken van de huidige en dat zij weinig overeenkomsten zal vertonen met de door moderne futuristen in hun bestsellers voorspelde maatschappij. De maatschappij van 2030 zal niet gedomineerd of vormgegeven worden door informatietechnologie. Natuurlijk blijft IT belangrijk, maar het is slechts één van de belangrijke technologieën. De nieuwe samenleving zal net als haar voorgangers vooral gekenmerkt worden door nieuwe instituties, door nieuwe theorieën en ideologieën en nieuwe problemen.

(2001)

Dankwoord

De hoofdstukken in een boek als dit worden voorafgaand aan de bundeling door mij altijd eerst gepubliceerd als artikelen of interviews in tijdschriften. De redacteuren van de tijdschriften en de interviewers zorgen voor een professionele redactionele bewerking van de stukken. Zo krijg ik feedback die anders nooit zo goed en diepgaand zou zijn. De getallen en statistieken in de stukken dateren uit het jaar dat ze in de tijdschriften verschenen. Het zou alleen maar verwarrend zijn om de cijfers te actualiseren. Bovendien is er geen enkele keer een verandering opgetreden in de trends waarvan deze cijfers een illustratie vormen. Vandaar dat de uitgever en ik er de voorkeur aan hebben gegeven om de cijfers te laten staan en in het boek telkens alleen aan te geven wanneer het artikel voor het eerst werd gepubliceerd. Zo kunnen lezers ook zelf beoordelen of ik de juiste diagnose heb gegeven van ontwikkelingen, en of latere gebeurtenissen mijn stelling onderuit hebben gehaald. We hebben ook besloten om in geen van de hoofdstukken iets te veranderen. Er zijn alleen typografische fouten gecorrigeerd, en soms werd de titel veranderd. Meestal is in dat geval de titel die de tijdschriftredacteur destijds heeft gekozen, weer veranderd in mijn oorspronkelijke titel. Afgezien daarvan verschijnen de stukken dus zoals ze oorspronkelijk zijn geschreven. Overigens zijn de jongste cijfers – die van 2000 en 2001 – te vinden in de delen van het boek die het laatst zijn gepubliceerd, met name deel IV.

Meer dan een vijfde van dit boek is voor het eerst gepubliceerd in *The Economist* (Londen). Hoofdstuk 4, 'E-commerce, de belangrijkste uitdaging', is verschenen in het *Economist Yearbook* van 2000. Hoofdstuk 9, 'Financiële Dienstverlening: Innoveren of tenondergaan', verscheen in 1999 in het tijdschrift zelf. Hoofdstuk 15, 'De nieuwe samenleving', het laatste deel van het boek, is in zijn geheel verschenen als een *Economist Survey* in het najaar van 2001.

Vier hoofdstukken zijn eerst verschenen als interviews. Hoofdstuk 2, 'De exploderende internetwereld', heeft in 2001 in *Red Herring* gestaan. Hoofdstuk 5, 'Van nieuwe economie is nog geen sprake', stond in 2000 in *Business 2.0*. Hoofdstuk 7, 'Ondernemers en innovatie', heeft in 1996 in het tijdschrift *Inc.* gestaan, hoofdstuk 10, 'Het kapitalisme voorbij?' in 1998 in *New Perspectives*. Twee hoofdstukken – hoofdstuk 12, 'De wereldeconomie en de nationale staat', en hoofdstuk 13, 'It's the society, stupid' – verschenen voor het eerst in respectievelijk 1997 en 1998 in *Foreign Affairs*.

In 1997 heeft *Viewpoint* hoofdstuk 6 gepubliceerd, 'De ceo in het nieuwe millennium'. *Forbes/ASAP* plaatste in 1998 hoofdstuk 3: 'Van computer- naar informatiealfabetisme'; *Leader to Leader* plaatste in 1998 hoofdstuk 14: 'De stad civiliseren'; *Atlantic Monthly* in 1999 hoofdstuk 1, 'Na de Informatierevolutie'; *The Wall Street Journal* in 1999 hoofdstuk 11, 'De opkomst van grote organisaties'; *Harvard Business Review* ten slotte in 2002 hoofdstuk 8, 'Het zijn geen werknemers, het zijn mensen'.

Ik wil mijn dank betuigen aan de redacteuren van deze tijdschriften en aan de vier interviewers voor hun vragen, kritiek, redactionele aanpassingen en adviezen.

Net als bij eerdere essaybundels heb ik ook nu weer veel te danken aan de man die al jaren mijn uitgever is, Truman M. Talley van Truman Talley Books. Hij heeft me geholpen bij de selectie van de onderwerpen en bij de keuze van de uiteindelijke indeling van het boek. Mijn lezers en ikzelf zijn hem veel dank verschuldigd.